자연치유를 위한 요가기공

연동요법(連動療法)

보건학 박사 손병국 著

도서출판 골드

머리말_

자연치유학이란? 인체스스로가 가지고 있는 저항력과 복원력, 면역력을 활성화하여 인체 항상성(Homeostasis)을 극대화함으로서 질병과 고통을 해소하는 각종 방법을 연구하고 실천하는 학문입니다.

생활양식과 소득수준의 향상 및 장수사회로의 진입은 진정한 생명력을 길러주고 회복하는 자연치유에 대한 관심을 그 어느 때 보다 높였지만 근골격계 질환에 대한 속 시원한 해결방법이 부족한 현실에서 이를 근원적으로 해소시킬 수 있는 보다 안전하고 효과적인 방법을 연구하던 중 일본 센다이의 의사였던 故 하시모토(橋本敬三)박사가 창안하고 네모토 료이찌(根本良一)先生이 확립한 연동조체법(連動操体法)을 저자로부터 직접 전수받고 보다 더 완전한 치유가 될 수 있도록 해부생리학과 한의학적 근거에 의한 새로운 기술을 보완하고, 기공 치료체조인 양생체조와 접목하여 이를 체계화하여 요가기공 연동요법으로 정립하였습니다.

연동요법(連動療法)은 스스로의 움직임을 통하여 원격부의 각 부분을 연동(連動)시킴으로써 종래의 운동학의 상식으로는 예상도 하지 않았던 부분까지 효과를 볼 수 있습니다.

또한 동작과 자세, 호흡과 수련은 요가(Yoga) 및 기공(气功)과 같은 요소를 포함하고 있지만 다른 요법이 미치지 않는 곳까지 조정할 수 있다는 장점이 있어 허리와 가슴, 목과 어깨 등의 통증을 보다 신속히 해소시켜 줄 것입니다.

너무나 신비롭고 정교한 우리의 인체에 대하여 현대의학에서는 세분화, 전문화해서 다루고 있습니다만, 약물이나 특별한 기구 없이 할 수 있는 연동요법은 연동의 효과를 잘 활용함에 따라서 단순한 몇 가지의 동작으로도 자연치유의 효과를 극대화시키고 있는 것입니다.

아무쪼록 이 책이 운동기 계통의 이상으로 고통 받는 많은 사람들에게 희망과 용기를 주고 보다 더 건강한 삶을 영위할 수 있는 기회가 되기를 바라며 보건 · 의료 및 체육, 미용 관련분야의 모든 분들에게 다소나마 도움이 되기를 진심으로 기원합니다.

끝으로 네모토 료이치(根本良一)先生님, 연수에 함께 해 주신 우리나라 피부미용계의 선구자이신 이순혜 박사님 그리고 연수의 통역과 책의 주요 내용을 기꺼이 번역해 주신 손우선 선생님께 감사를 드립니다.

본서가 나오기까지 아낌없는 협조를 해 주신 도서출판 골드의 박승합 사장님, 각종 자세의 연구에 도움을 준 미국 시카코의 하태은 교수와 시연 및 촬영에 협조해 주신 대체의학지도자 여러분들 그리고 참다운 삶의 지혜로 인도해 주시는 류규수 교수님과 부족한 저에게 도움과 영감을 주신 모든 분들께도 감사드립니다. 아울러 항상 묵묵히 내조해주는 사랑하는 아내 안나에게도 고마움을 전하며 존경하는 아버님, 어머님께 이 책을 바칩니다.

2007. 1. 10

대체의학 연구실에서 저자

차 례

Part
02 기초편

Contents

Contents

Part

03 실기편 [기초가 되는 연동요법]

Contents

Contents

Part

04 연동기공

Part

05 부록 Ⅰ, Ⅱ

Part 01

인체의 이해

1-1 골격계(Skeletal system)

인체의 골격은 총 206개의 뼈로 구성되어 있으며, 이들 골격은 관절을 형성하여 서로 연결되어 하나의 계통을 이루기 때문에 골격계(skeletal system)라고 한다. 이러한 골격계는 골(뼈, bone), 연골(물렁뼈, cartilage), 관절(joint) 및 인대(ligament)를 총칭한다.

❖ 골의 기능

기능	역할
지지 (Support)	인체의 연한 장기나 조직을 지탱해 주는 뼈대 역할을 하며, 인체 근육의 대부분이 이들 골격에 부착점을 갖는다.
운동 (movement)	많은 근육이 치밀한 결합조직인 건(힘줄, tendon)에 의해 골격에 부착하고 있고, 골은 가동관절을 형성하여 인체가 가능한 운동을 할 수 있도록 도와주는 역할을 한다. 인대(ligament)는 각각의 골을 연결시키고 과도한 운동을 방지하는 역할을 한다.
보호 (protection)	골격은 골격계 내의 기관들을 둘러쌈으로써 장기를 보호하는 역할을 한다.
조혈 (hemopoisis)	골수는 조혈작용을 하는데 혈액세포들은 적골수(red bone marrow)에서 형성되어 성숙된 후 골수혈관을 따라 혈류 속으로 방출된다.

광물질 저장 (mineral reservoir)	골 조직의 세포간질은 교원질과 무기질이 주성분이 되는데 무기물에서 가장 많은 것이 칼슘(Ca)과 인(P)이다. 또한 소량의 마그네슘(Mg), 칼륨(K), 나트륨(Na) 등도 저장되어 있다.

(1) 뼈의 형성

뼈는 결합조직이나 연골에 의해 점유된 부위에서 형성된다. 결합조직에서 형성된 뼈는 막 안에서 생기는 것으로 막 성골이라 한다.

두 개관, 얼굴뼈 대부분과 쇄골과 하악의 일부분이 이에 속한다. 막 성골의 세포는 콜라겐 섬유가 끼어들어 있는 점성 단백질의 간질을 형성하며 콜라겐 섬유사이와 위, 그 안에 무기성 칼슘포스테이트의 결정이 침착된다. 이러한 강화작용을 골화라고 한다.

뼈의 성장을 연골이 장골의 골단을 향한 골단판적으로 연속적으로 자라나고 골간을 향해 있는 반대편 골단판에서는 연골이 연속적으로 파괴되어 뼈로 대치된다. 이러한 골단의 성장판을 출생 후 성장의 전시기에 걸쳐서 존재한다.

골격이 성인의 크기에 이르면 이판을 완전히 흡수되고 뼈로 대치되어서 골간과 골단이 영구적으로 만난다.

여자는 남자보다 골간과 골단의 융합이 빨라서 길이 성장이 약 2년 정도 먼저 멈춘다. 남자의 경우 대부분의 골간과 골단 융합은 약 20세에 끝난다.

골격계를 구성하는 200개 이상의 뼈는 각각 나름의 발생역사를 가진다. 쇄골은 모든 골격계 중에서 첫 번째로 골화하며(7주째), 뒤를 이어 하악이 골화한다.

(2) 뼈의 구조(Structure of bone)

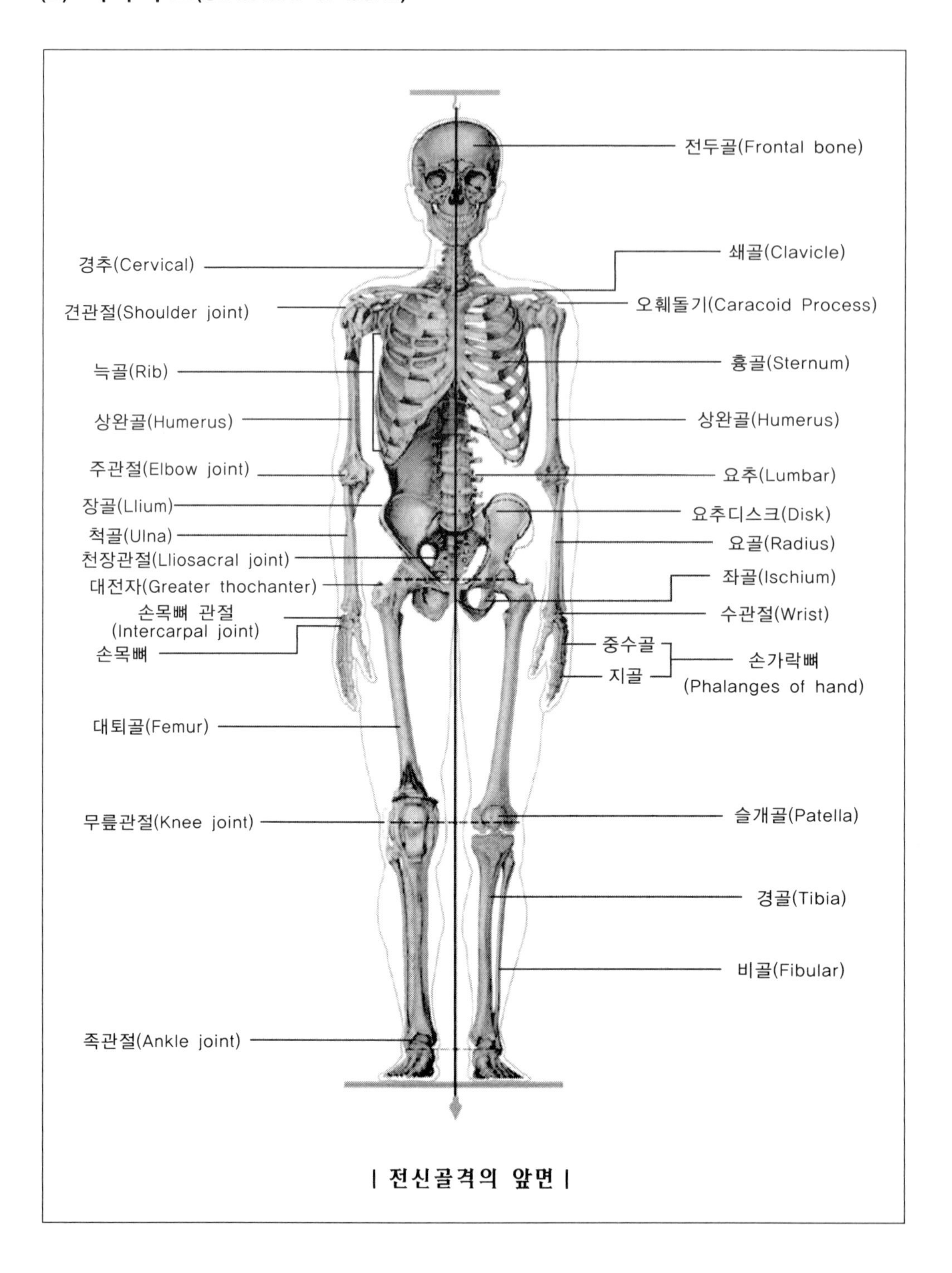

| 전신골격의 앞면 |

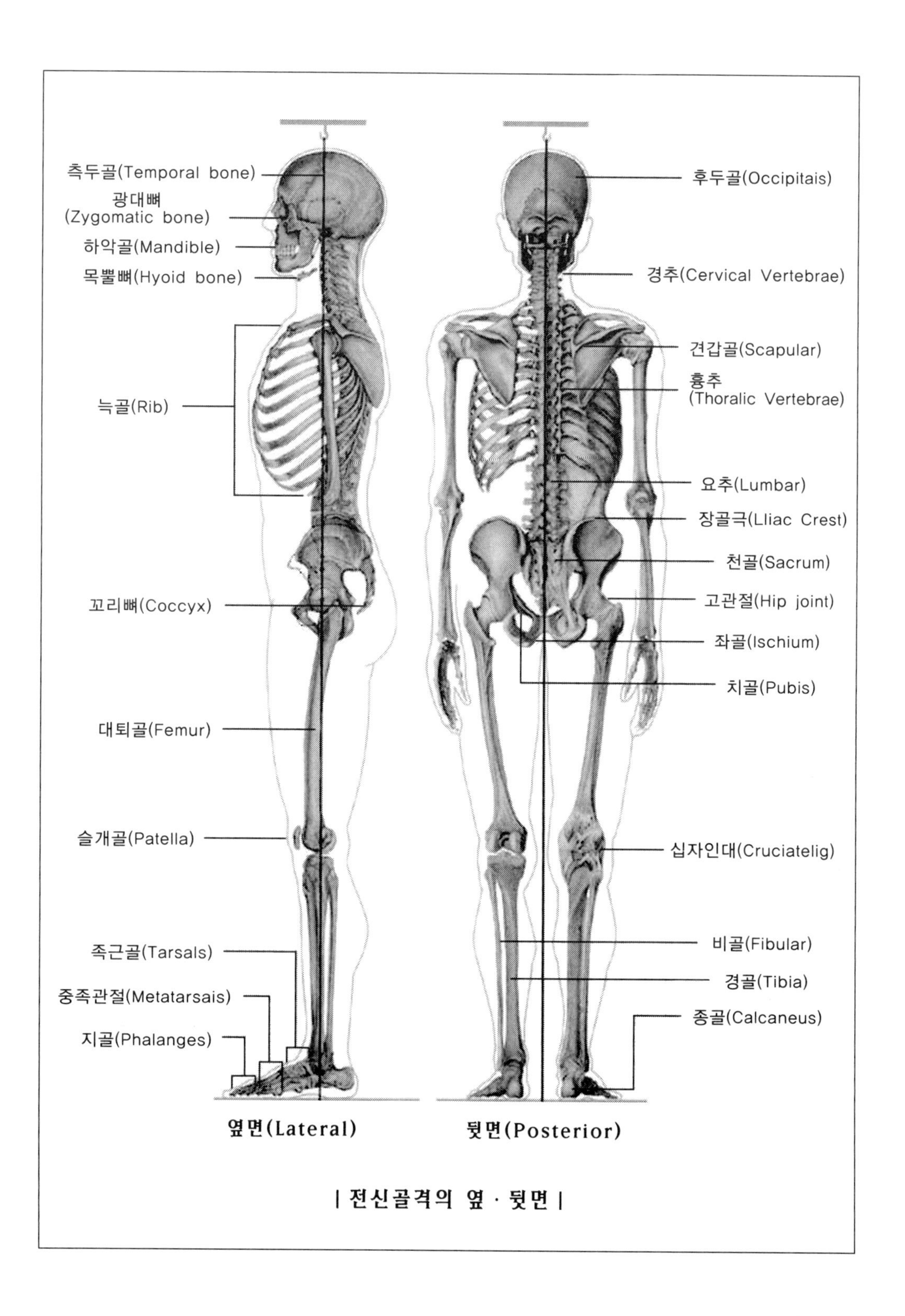

측두골(Temporal bone)
광대뼈
(Zygomatic bone)
하악골(Mandible)
목뿔뼈(Hyoid bone)
늑골(Rib)
꼬리뼈(Coccyx)
대퇴골(Femur)
슬개골(Patella)
족근골(Tarsals)
중족관절(Metatarsais)
지골(Phalanges)
후두골(Occipitais)
경추(Cervical Vertebrae)
견갑골(Scapular)
흉추
(Thoralic Vertebrae)
요추(Lumbar)
장골극(Lliac Crest)
천골(Sacrum)
고관절(Hip joint)
좌골(Ischium)
치골(Pubis)
십자인대(Cruciatelig)
비골(Fibular)
경골(Tibia)
종골(Calcaneus)
옆면(Lateral)
뒷면(Posterior)

| 전신골격의 옆 · 뒷면 |

❖ 뼈의 형태에 따른 분류

분류	설명
장골 (Long bone)	긴 장축을 가진 뼈로서 뼈 속에 골수강(뼈 속 공간, medullary cavity)이라는 공간이 있기 때문에 관상골(tubular bone)이라고 한다(상완골, 요골, 척골, 대퇴골, 경골, 비골 등).
단골 (Short bone)	넓이와 길이가 서로 비슷한 짧은 뼈로 골수강이 없다(수근골, 족근골 등).
편평골 (Flat bone)	납작한 모야의 뼈로서 골수강이 없으며 내 · 외면이 치밀골(compact bone)로 되어 있고, 그 사이에 해면골(sponge bone)이 발달한 납작한 뼈로 해면골에는 적골수(red bone marrow)가 있다(두개골의 일부, 견갑골, 늑골 등).
불규칙골 (Irregular bone)	불규칙한 모양을 가진 뼈이다(척추골과 관골 등).
함기골 (Air bone)	뼈 속에 공기가 들어 있는 공간을 가진 특수한 골이다(두개골 중에서 상악골, 전두골, 사골, 접형골 및 측두골 등).
종자골 (Sesamoid bone)	건(tendon)이나 관절낭에 속한 작은 뼈로서 식물의 씨앗 형태를 하고 있어 종자골이라 한다(무릎의 슬개골, 엄지손가락종자골 등).

(3) 골격계의 해부

성인의 골격은 크게 206개의 뼈로 구성되어 있는 머리, 목 및 몸통을 이루는 체간골격(axial skeleton)과 팔과 다리를 이루는 체지골격의 2군으로 나눈다.

가. 체간골격(axial skeleton)

① 두개골(머리뼈, Skull)

두개골은 15종 23개의 골이 결합된 것으로 두개강을 형성하여 뇌를 보호하는 뇌두개골(neurocranium)과 안면을 형성하는 안면두개골(faciocranial bone)의 2종류로 크게 나눌 수 있다. 두개골은 하악골을 제외한 21개의 뼈는 모두 움직여지지 않는 형태인 섬유관절(fibrous joint)로 연결되어 있다. 섬유관절 중에서도 대부분의 뼈는 봉합(suture)의 형태이며 일부는 인대결합(syndesmosis)과 못박이관절(gomphosis)로 되어 있다. 봉합은 전두골과 두정골 사이, 인대결합은 측두골의 경상돌기와 설골 사이, 못박이관절은 상악골이나 하악골과 치아사이에 이루어지는 연결이 대표적이며 입을 움직이기 위한 턱관절은 움직임이 자유로운 윤활관절(synovial joint)로 되어 있다.

② 척추(Vertebral column)

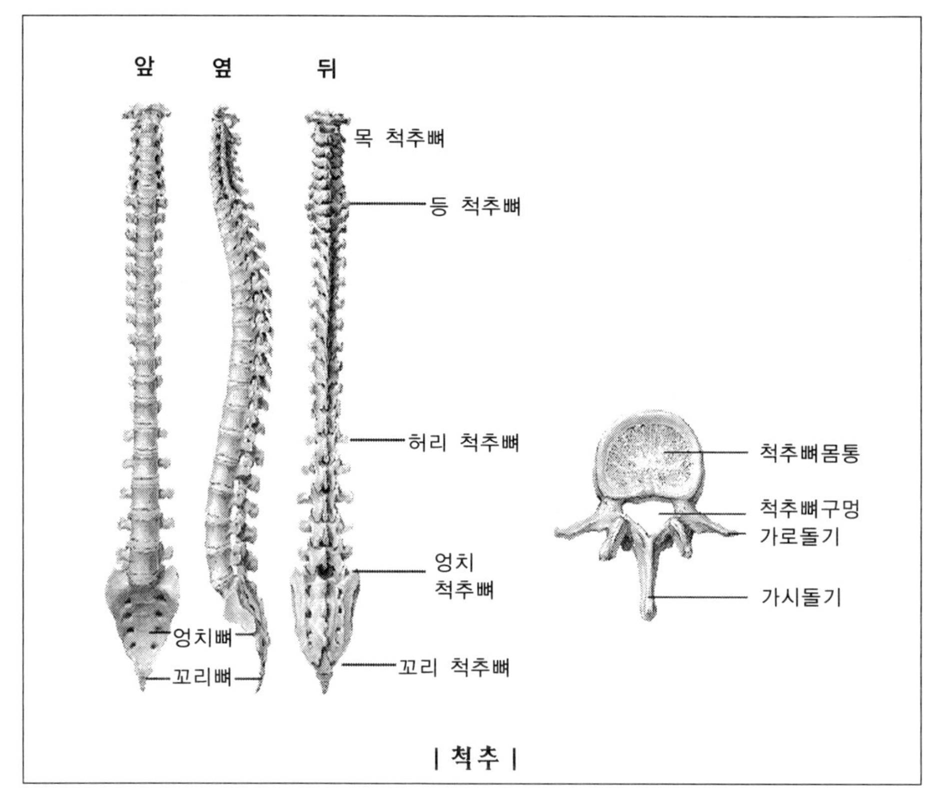

| 척추 |

몸통과 목을 지탱하는 뼈대 역할을 하는 구조물이며, 척추뼈(vertebrac)와 그 사이에 들어 있는 납작한 연골판인 척추사이 원반(intervertebral disc)이 여기에 속한다. 척주 속에는 중추신경의 일부인 척수(spinal cord)를 간직하고 있다. 척주는 전체 길이의 3/4을 척추 뼈가 나머지 1/4을 척추사이 원반이 차지한다. 척추는 경추(7마디), 흉추(12마디), 요추(5마디), 천추(5마디), 미추(4마디)로 구성되며 천추와 미추는 성년이 되면 각각의 척추 뼈가 융합되고 척추사이 원반도 골화, 즉 뼈가 된다. 척추 전체는 앞이나 뒤에서 볼 때는 수직을 이루고 있으나 좌우 측면을 볼 때는 만곡(curvature)을 나타낸다. 생후 3개월이 되면 경추만곡이 생기면서 목을 가눌 수 있게 되고 이러한 만곡을 생후 18개월이 지나면서 뚜렷해지면서 허리의 만곡이 생겨 성인의 만곡 모양을 가진다.

❖ 척수신경의 영역과 영향

척추	영역	영향
경추 1	두뇌, 뇌하수체, 두피	두통, 신경질, 불면증, 감모증, 현운, 고혈압, 편두통, 신경쇠약, 만성피로
2	눈, 귀, 코, 혀	알레르기, 사시, 이명, 비염, 단독
3	혀, 외이, 눈, 삼차신경	신경통, 여드름, 습진
4	코, 귀, 입	비염, 난청, 설염
5	성대, 인두	인후염, 고성, 인후통
6	경추부 근육, 어깨, 편도선	경추부 근육강직, 상완통, 편도선염, 백일해, 폐렴
7	갑상선, 어깨	오십견, 감모, 갑상선 장애
흉추 1	상지, 식도, 기관	천식, 기침, 호흡곤란, 상완신경통
2	심장, 관상동맥	심장기능장애
3	폐, 기관지, 늑막, 유두, 흉부	기관지염, 늑막염, 폐렴, 충혈, 감기
4	담낭, 총담관	담낭의 질환, 대상포진
5	간, 복부의 신경, 혈액순환기계	간장병, 발열, 저혈압, 빈혈, 관절염, 순환장애
6	위	위질환의 대부분
7	췌장, 랑게한스섬, 십이지장	당뇨병, 십이지장 궤양, 위염
8	비장, 횡격막	횡경막 경련
9	부신, 신상체	두드러기, 알레르기
10	신장	신장병, 동맥경화증, 만성피로, 신우염
11	신장, 뇨관	피부병, 여드름, 습진, 자가 중독
12	소장, 유뇨관, 임파관	류마티즘, 불임증
요추 1	대장, 결장, 서혜부	변비, 대장염, 적리, 탈장
2	충수, 대장, 맹장, 대퇴부	충수염, 장경련, 정맥류
3	성기, 난소, 고환, 자궁, 방광, 무릎	방광염, 월경불순, 유산, 야뇨증, 슬관절통, 임포텐스
4	전립선, 요부근육	좌골신경좌골신경통, 요통, 배뇨곤란
5	하지	하지순환장애 및 경련, 신경통
선골	좌골, 둔부	선장관절질환, 척추만곡
미골	직장, 항문	치질, 좌위를 취할 경우 척추부통증

③ 흉곽(Thorax)

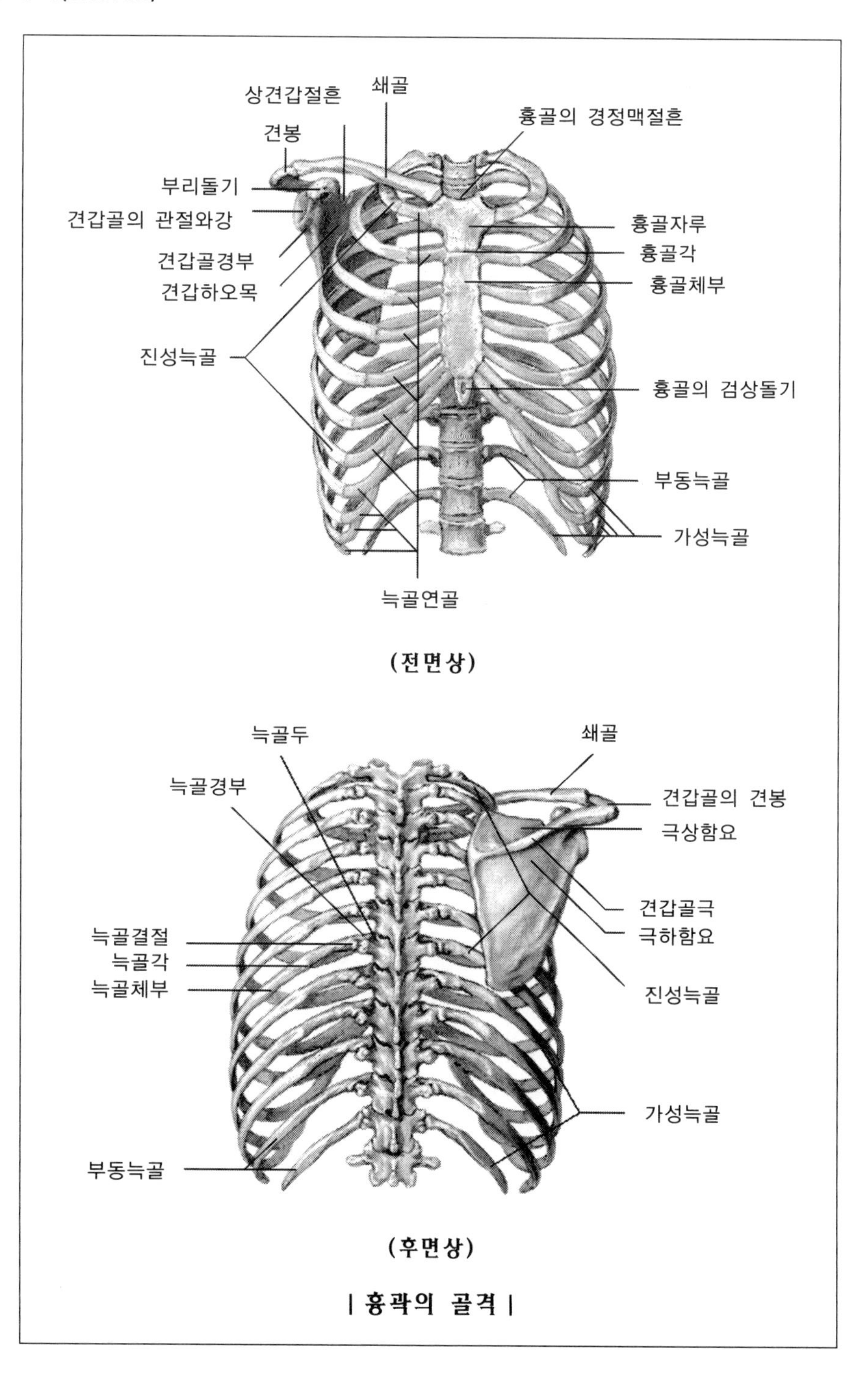

(전면상)

(후면상)

| 흉곽의 골격 |

가슴과 등을 포함한 몸통 위쪽 반을 흉곽이라 하고 그것을 이루는 뼈대를 가슴뼈대(골성흉곽 : bony thorax)라고 한다. 흉곽무리는 가슴 속 장기인 폐, 심장, 큰혈관, 식도, 기관 등이 들어 있으며 흉곽무리의 근육작용에 의해 호흡작용을 하게 된다. 가슴뼈대는 12쌍의 흉추골(thoracic vertebrac), 12쌍의 늑골(갈비뼈 : ribs) 및 늑연골(costal cartilages), 그리고 1개의 흉골(sternum)로 구성된 구조물이다. 흉곽무리를 이루는 가장 핵심적인 뼈대인 늑골은 좌우 12쌍 즉 24개의 가늘고 길며 납작한 뼈이다. 위 7쌍의 늑골을 늑연골을 사이에 두고 흉골과 직접 연결되어 있으며 그 아래 5쌍의 늑연골들은 흉골에 직접 연결되지 않는다.

나. 체지골격(부대골격 : appendicular skeleton)

인체는 몸통(체간 : trunk)과 사지(체지 : limb)로 구분된다. 몸통은 몸의 중심을 이루는 부분이고 사지는 몸통에 달린 팔과 다리를 일컫는다. 몸통과 사지는 몸을 이루고 있을 뿐 아니라 그들 나름대로 독특한 기능을 수행한다. 사지는 몸통에 달려 있는 골격과 골격운동을 주로 하는 근육 및 이들에 분포하는 뼈, 근육, 혈관과 신경으로 구성되어 있다. 따라서 몸통을 절단하면 사람은 죽게 되지만 사지에 손상을 입거나 절단 되어도 생명에는 지장이 없어 흔히 전상자의 경우 팔다리가 모두 없어도 생존하는 것을 종종 볼 수 있다.

❖ **체지골격의 분류**

구분	종류		개수
상지골 (上枝骨 : upper limbs)	상지대골	쇄골2, 견갑골2	64개
	자유상지골	상완골2, 전완(요골2, 척골2), 수골(수근골16, 중수골10, 지골28)	
하지골 (下枝骨 : lower limbs)	하지대골	관골2, 대퇴골(대퇴골2, 슬개골2), 하퇴골(경골2, 비골2),	62개
	자유하지대 골	족골(족근골14, 중족골10, 족지골28)	
이소골 (耳小骨 : ear ossicle)	망치뼈(槌骨 : 추골), 모루뼈(砧骨 : 침골), 등자뼈(鐙骨 : 등골)		6개

1-2 관절계(Articular system)

인체를 구성하는 206개의 뼈들은 어떠한 형태로든 상호 연결되어 있다. 관절이란 둘 이상의 뼈들 사이의 연결을 말한다. 관절은 전혀 움직임이 없는 부동관절에서부터 약간의 움직임이 있는 반가동관절 그리고 운동성이 매우 좋은 가동관절 등으로 되어 있다. 부동관절은 뼈 사이에 관절강이 없이 섬유성 결합조직으로 연결되거나 또는 뼈 사이에 연골조직이 끼어있는 관절로서 운동성이 극히 제한되어 있다. 가동관절은 관절강을 사이에 두고 연결되고 관절강 내에는 점액단백질로 구성도 관절활액이 분비되어 채워져 있기 때문에 운동성이 좋으며 운동 시에 마찰을 방지한다.

(1) 관절의 구조

관절을 형성하는 두 개의 골단은 보통 한 쪽이 볼록한 관절두(joint caput)와 오목한 관절와(joint fossa)가 있다. 관절은 연골로 덮혀 있어 매끈하기 때문에 자유로운 운동이 가능하고 서로 부딪치지 않는다. 두 골단은 관절포로 싸여 있어 두 골단과 관절포에 의해 관절강이 형성되고, 속에 활액이 있어 골단의 충돌을 방지하고, 관절면의 마찰도 감소된다. 관절의 외측에는 인대가 두 뼈를 연결하고 있어 관절을 보호하고, 과도한 신전을 방지하는 역할을 한다.

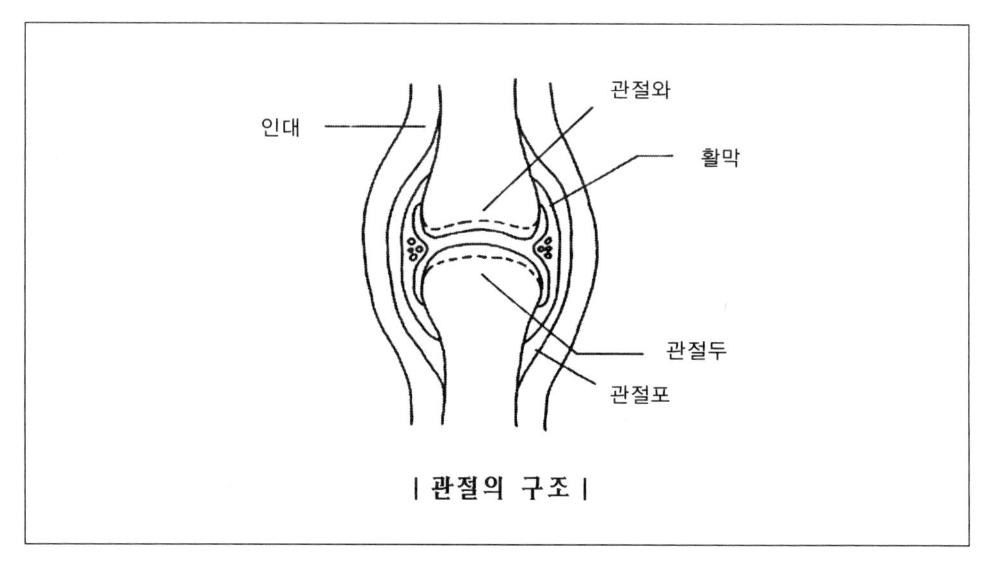

| 관절의 구조 |

(2) 관절의 분류

가. 구조적 분류

① 섬유성 관절(fibrous joint)

관절을 이루는 뼈들이 섬유성 연결조직에 의하여 함께 결합되어 있다. 이러한 관절들은 관절강들이 없다.

☞ 봉합(예 : 두개골들의 관절), 치아이틀관절(예 : 치아와 상악골 또는 하악골 사이의 관절), 인대결합(예 : 경골비골관절)

② 연골성 관절(cartilaginous joint)

관절을 이루는 뼈들이 연골에 의하여 함께 결합되어 있다. 이러한 관절들은 관절강들이 없다.

☞ 연골결합(예 : 제1늑골과 흉골자루의 연결), 섬유연골결합(예 : 치골결합, 척추골사이원반)

③ 활막성 관절(= 윤활관절 : synovial joint)

관절을 이루는 뼈들은 연골로 덮여 있으며, 인대들이 대부분의 경우 관절들을 지지하는 것을 도와준다. 활막성 관절은 매우 유동성이 있다. 이러한 관절들은 액체가 채워진 관절강들에 의하여 구분된다.

☞ 체지골격에 있는 대부분의 관절

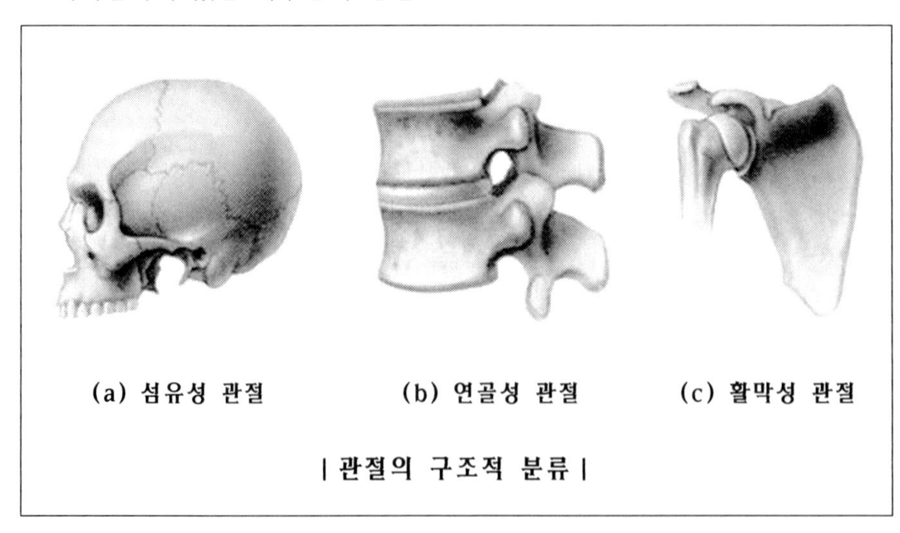

(a) 섬유성 관절 (b) 연골성 관절 (c) 활막성 관절

| 관절의 구조적 분류 |

나. 기능적 분류

① **유합관절(부동관절 : synarthroses)**

유합관절은 연결하는 뼈 사이에 틈새가 없고, 결합조직이나 연골이 차지하고 있다. 이러한 연결은 사람의 골격에서는 일부의 뼈에 한정되며 운동성이 극히 제한되어 있다. 때문에 부동관절이라고도 한다.

☞ 두개골 봉합부위

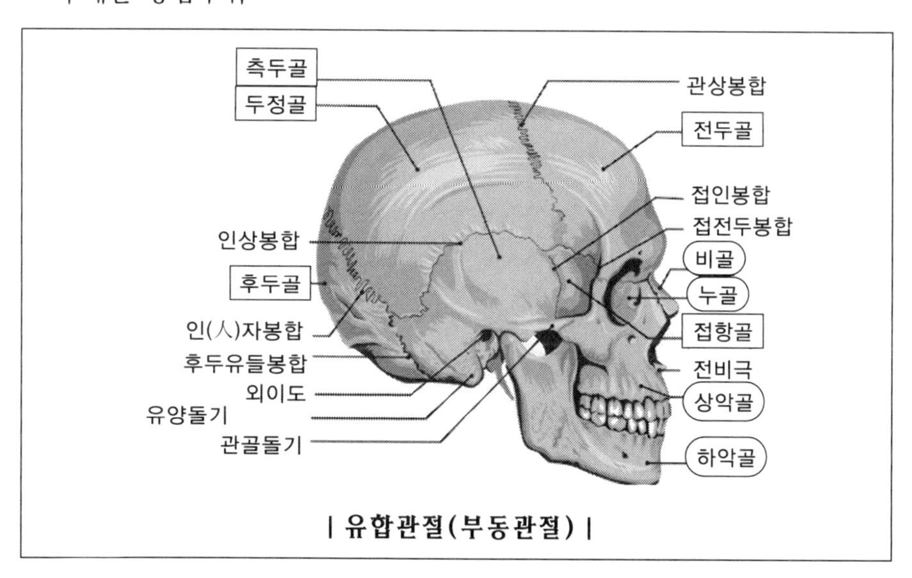

| 유합관절(부동관절) |

② **긴밀관절(amphiarthroses)**

약간의 움직임이 가능한 관절이다.

☞ 치골결합(골반)

③ **가동관절[윤활관절 : diarthroses, 활막성(활액성)관절(synovial joint)]**

동물의 운동 기능을 맡은 관절. 두 뼈의 끝이 마주 닿은 곳에서, 연골과 활액(滑液)의 작용으로 마찰이나 충격을 방지하도록 되어 있다.

가동관절은 활액강이 있어서 활막관절이라고도 한다. 골단에 덮힌 연골과 활액은 관절표면의 마찰을 감소시킨다. 활액의 양은 적지만 관절의 윤활과 관절연골의 충분한 영양공급이 가능하다. 활액막은 항체를 분비하여 질병으로부터 관절을 보호하기도 한다.

☞ 무릎, 고관절(골반과 대퇴뼈의 연결부위)

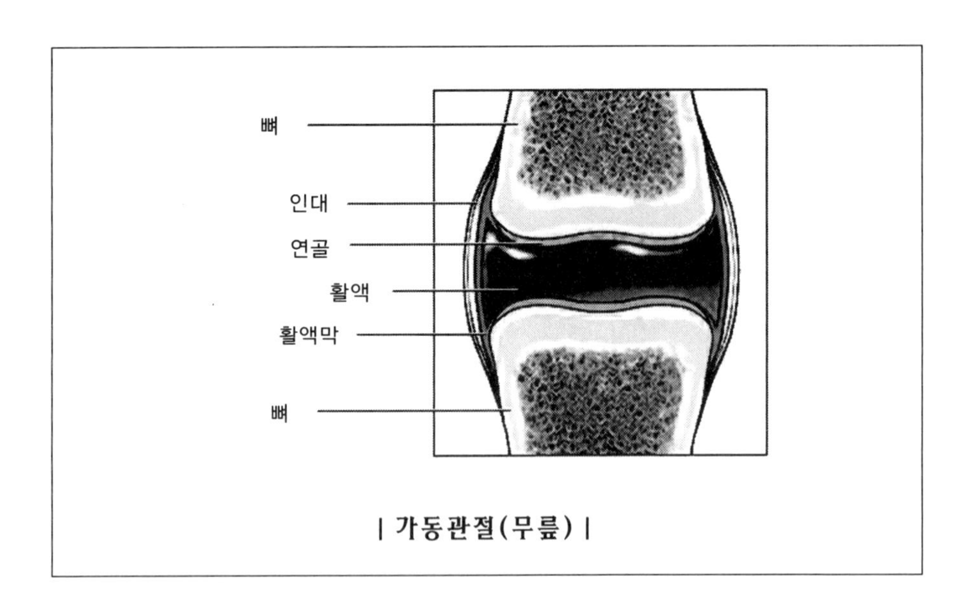

| 가동관절(무릎) |

참고 [가동관절의 구성]

- 활액강(synovial cavity) : 활액막(synovial membrane)으로 둘러싸여 있으며, 활액막은 강한 탄력섬유조직으로 관절낭(articular capsule)으로 둘러싸임. 관절 표면과 골막(뼈 표면)에 단단히 부착되어 있어서 탈구를 방지함.
  ※ 관절강(articular cavity)이라고도 한다.
- 활액(synovial fluid) : 활액막 내면에서 분비되며, 관절 움직임 시 마찰을 예방함. 항체를 분비하여 관절의 질병예방에 기여함.
- 관절판(articular disc) : 몇몇 가동관절에 있는 것으로 관절사이에 위치한 섬유성 연골판(충격흡수)

(3) 관절가동범위(ROM : Range of motion)

일반적으로 가능한 최고의 운동범위를 관절가동범위라 부른다. 관절 가동범위의 활동은 관절범위와 근육범위로 쉽게 설명된다. 관절가동범위를 설명하는데 굴곡, 신전, 외전, 내전 그리고 회전과 같은 용어가 사용된다. 관절가동범위는 일반적으로 관절각도계로 측정되며, 도로 기록된다.

❖ 위치상의 용어

용어	의미
내측(Medial)	정중면에서 가까운 쪽
외측(Lateral)	정중면에서 먼 쪽
전(Anterior)	인체의 앞면에 가까운 쪽
후(Posterior)	인체의 뒷면에 가까운 쪽
상(Superior)	머리에 가까운 쪽
하(Inferior)	머리에서 먼 쪽
근위(Distal)	체간에서 가까운 쪽
원위(Proximal)	체간에서 먼 쪽
장측(Palmar)	손바닥 쪽
배측(Dorsal)	손등 쪽
저부(Base)	발바닥 쪽

❖ 동작상의 용어

용어	의미
굴곡(Flexion)	각을 이루며 굽히는 것
신전(Extension)	똑바로 펴는 것
내전(Adduction)	정중면으로 가까이 오는 것
외전(Abduction)	정중면에서 멀어지는 것
회전(Rotation)	장축을 축으로 하여 돌리는 것
회내(Internal Rotation)	내측으로 돌리는 것
회외(External Rotation)	외측으로 돌리는 것
과신전(Hyperextension)	원위치를 지나 더욱 신전되는 것
회전(Circumlocution)	굴곡, 신전, 외전, 내전의 연속동작으로서 원을 그리는 것

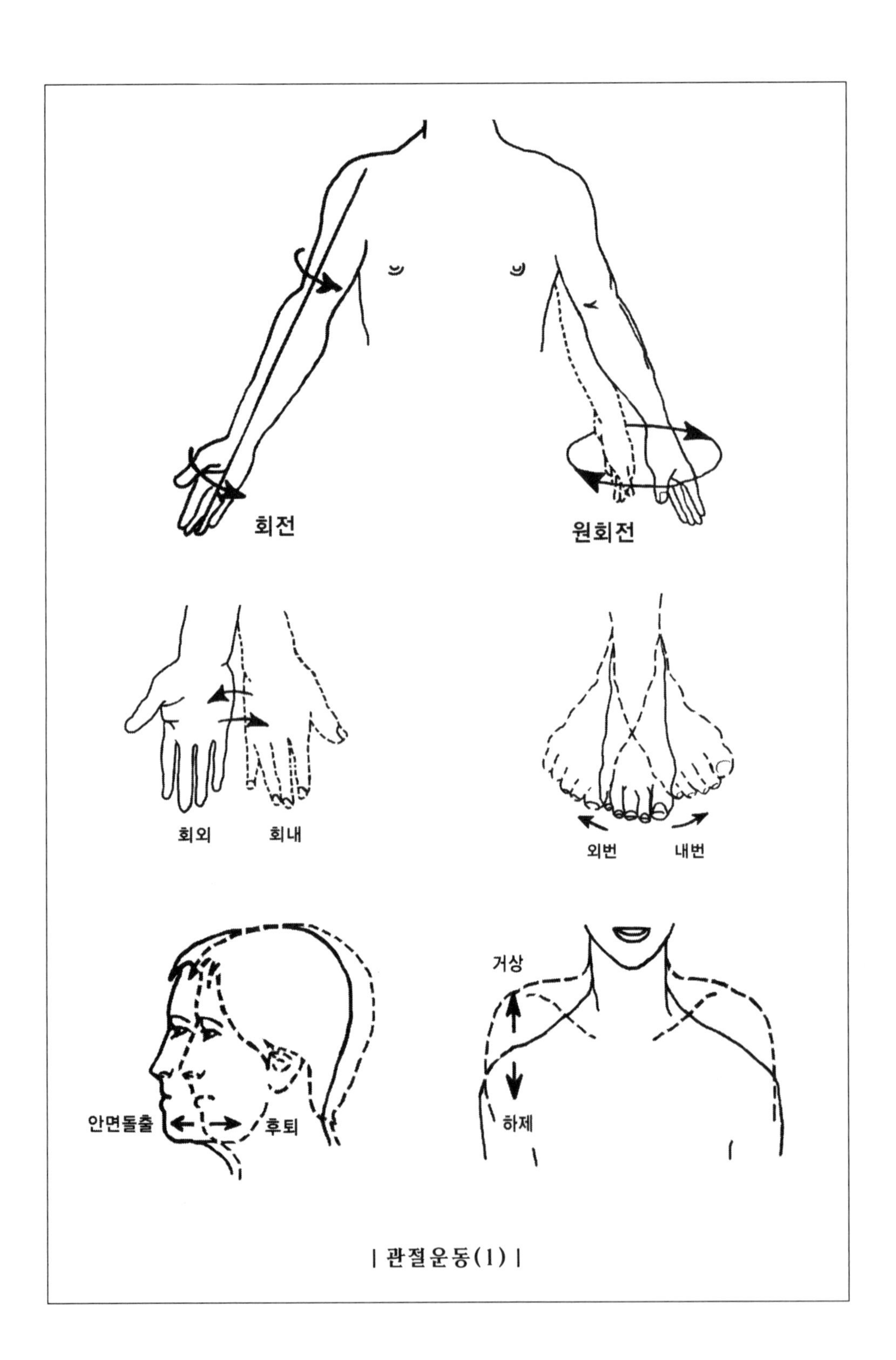

| 관절운동(1) |

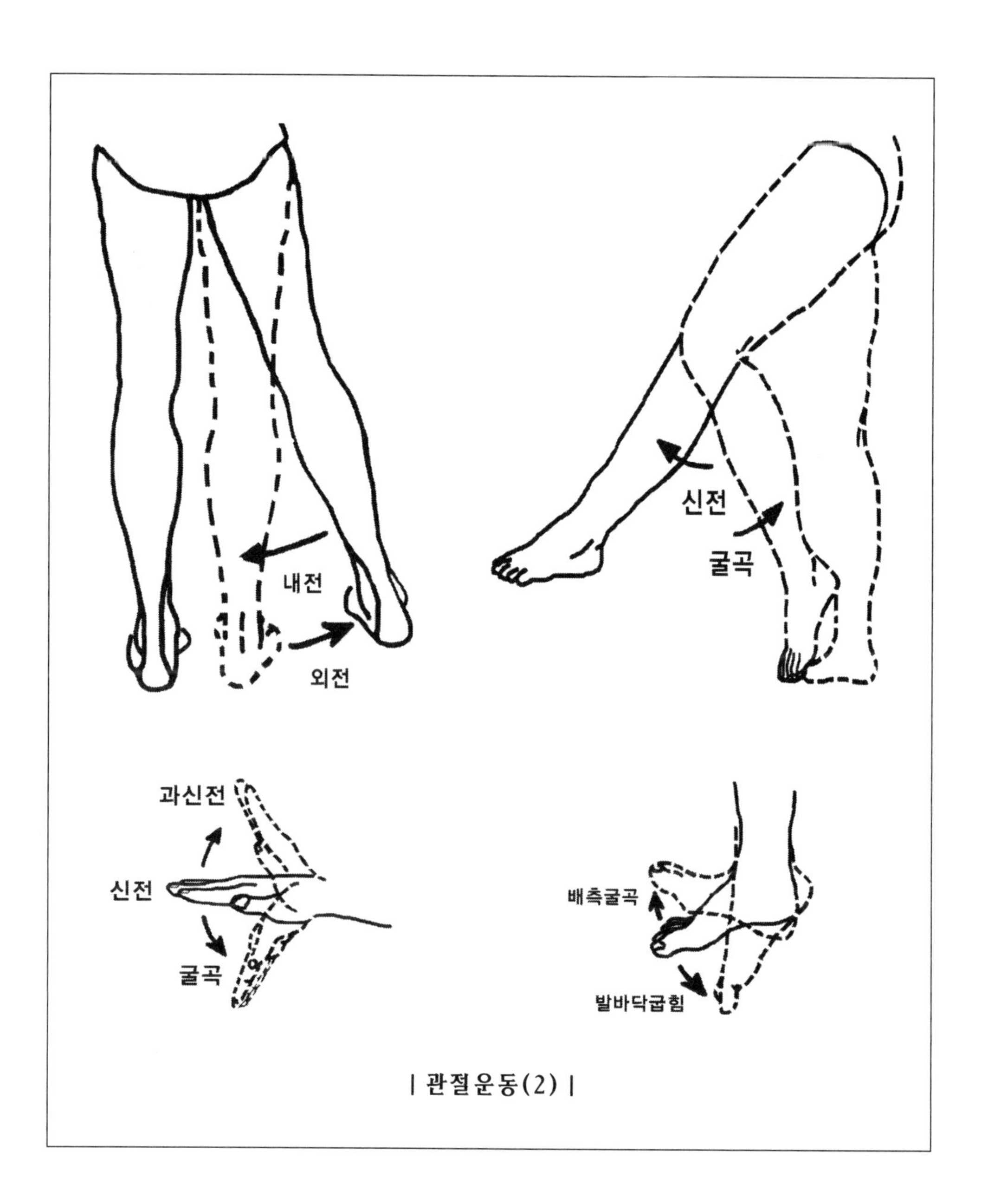

| 관절운동(2) |

한 개의 근육은 수많은 근섬유(muscle fiber)로 구성되어 있고 각 근섬유는 많은 핵(nuclear)으로 구성되어 있으며 근육의 구조적인 단위이다.

❖ 근육의 특성

특성	내용
수축성(contractility)	근섬유는 자극을 받으면 근원섬유의 길이가 수축한다.
탄성(elasticity)	근섬유가 잡아당겨 길어졌을 경우 그냥 두면 원상태로 돌아간다.
흥분성(excitability)	자극을 받으면 흥분하여 여러 가지 변화를 일으킨다.
전도성(conductivity)	근섬유의 한 끝을 자극하면 흥분이 근섬유 전체에 전달된다.

2-1 근육의 분류

기능적 특성에 따른 분류	내용
수의근 ➡ 골격근, 횡문근, 가로무늬근	운동신경의 지배를 받아 자신의 의지대로 움직일 수 있는 근육

불수의근 ➡ 평활근, 내장근, 심근, 민무늬근	자율신경의 지배를 받아 자신의 의지대로 움직일 수 없는 근육

구조적 특성에 따른 분류	내용
횡문근 ➡ 수의근, 골격근, 심근, 가로무늬근	현미경하에서 근세포에 밝고 어두운 띠가 교대로 배열되어 나타나는 근육(가로무늬근)
평활근 ➡ 불수의근, 내장근, 민무늬근	• 현미경하에서 근세포에 가로무늬가 없는 근육(민무늬근) • 내장기관의 활동을 담당함.

참고

횡문근과 평활근의 수축이 서로 다른 점은 평활근의 수축 속도가 1/10~1/100 늦다는 것이다.

위치적 특성에 따른 분류	내용
골격근 ➡ 수의근, 횡문근, 심근, 가로무늬근	• 뼈대에 붙어 있는 근육 • 여러 개의 핵을 소유함. • 급격한 수축이 가능하므로 빠른 운동에 알맞음. • 쉽게 피로가 옴.
내장근 ➡ 불수의근, 평활근, 민무늬근	• 혈관, 방광, 소화관 등의 내장을 형성함. • 수축하는 속도는 느리나 수축 상태를 오래 지속할 수 있음. • 쉽게 피로하지 않음.
심(장)근 ➡ 불수의근, 횡문근, 골격근, 가로무늬근	• 심장을 이루고 있는 근육 • 근섬유가 나뭇가지 모양으로 갈라져 있음. • 핵의 수가 적음. • 쉽게 피로하지 않음.

참고

골격근과 심근의 다른 점은 흥분할 때의 세포막의 이온투과성에 있는데, 심근의 활동전압의 지속시간은 골격근보다 10~100배 길다.

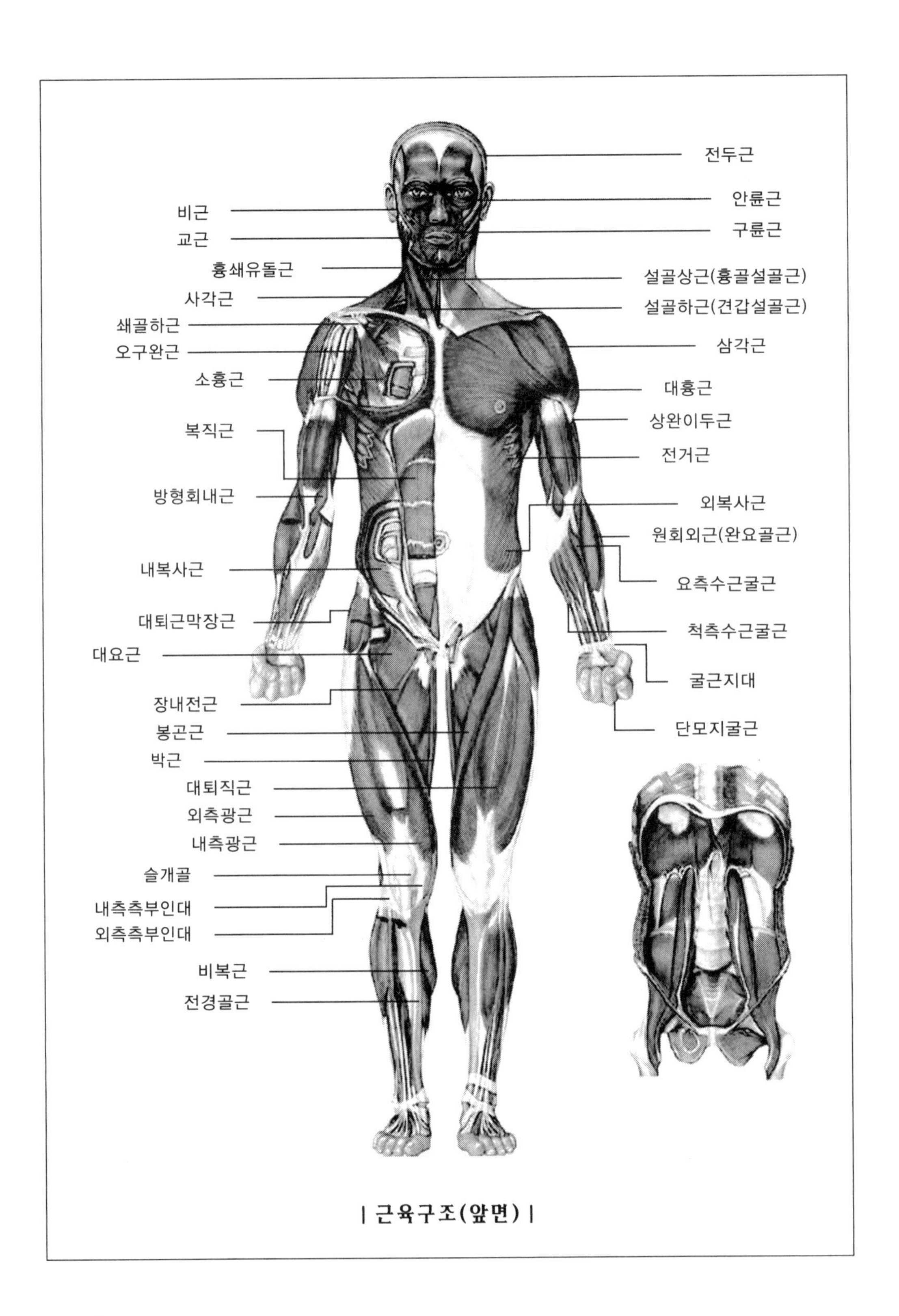
전두근
안륜근
구륜근
설골상근(흉골설골근)
설골하근(견갑설골근)
삼각근
대흉근
상완이두근
전거근
외복사근
원회외근(완요골근)
요측수근굴근
척측수근굴근
굴근지대
단모지굴근
비근
교근
흉쇄유돌근
사각근
쇄골하근
오구완근
소흉근
복직근
방형회내근
내복사근
대퇴근막장근
대요근
장내전근
봉곤근
박근
대퇴직근
외측광근
내측광근
슬개골
내측측부인대
외측측부인대
비복근
전경골근

| 근육구조(앞면) |

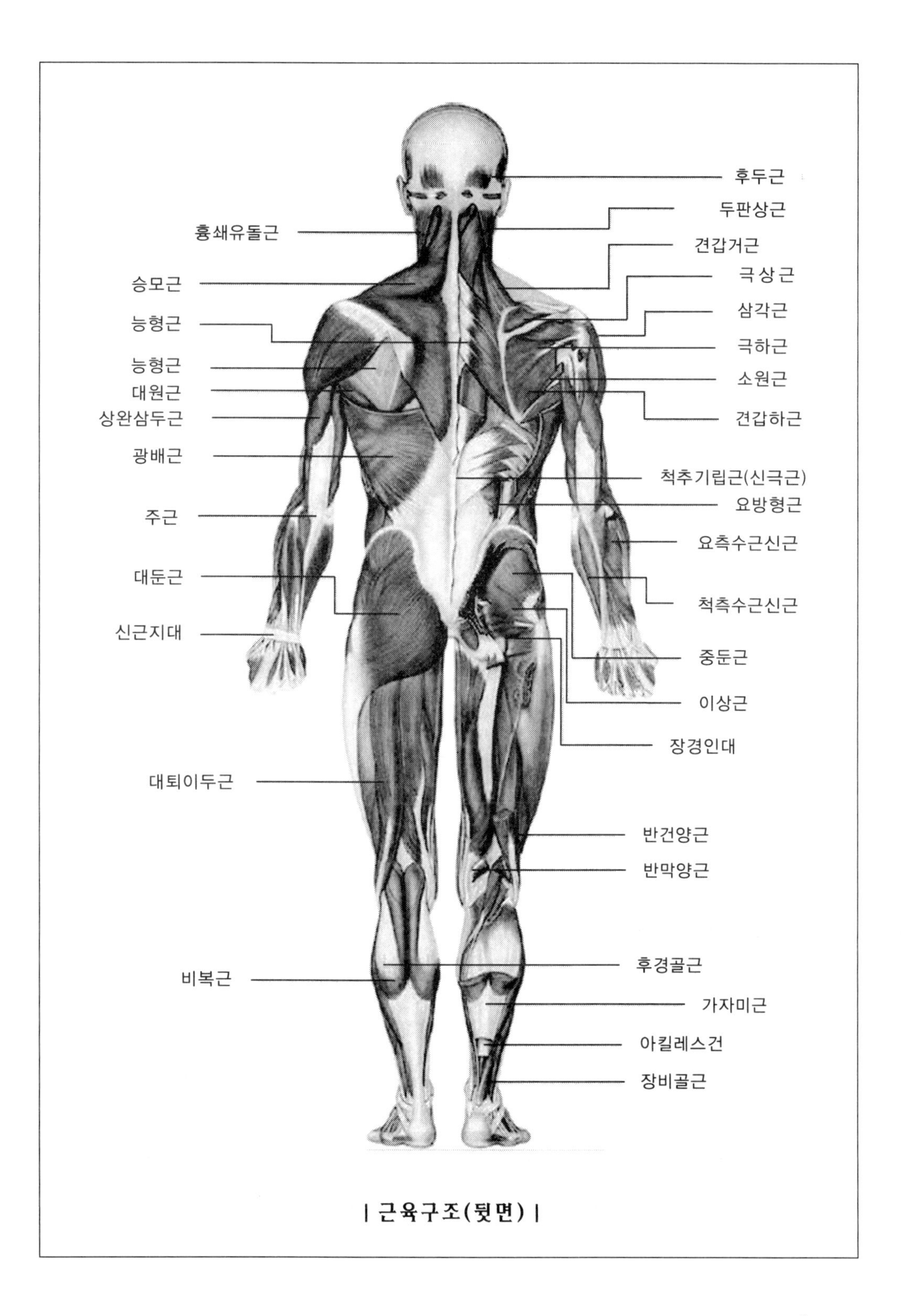
후두근
두판상근
흉쇄유돌근
견갑거근
승모근
극상근
능형근
삼각근
극하근
능형근
소원근
대원근
상완삼두근
견갑하근
광배근
척추기립근(신극근)
요방형근
주근
요측수근신근
대둔근
척측수근신근
신근지대
중둔근
이상근
장경인대
대퇴이두근
반건양근
반막양근
후경골근
비복근
가자미근
아킬레스건
장비골근

| 근육구조(뒷면) |

참고 [골격근의 부착]

① 근육은 굵은 건(tendon)이나 건막(aponeurosis)이라는 얇은 건에 의해 골외막에 부착
② 어떤 근육은 인대(ligament)에 의해 뼈에 부착
③ 기시부(origin) : 근수축에 의해 움직이기 어려운 쪽, 고정되어 있는 관절 쪽
④ 정지부(insertion) : 근수축에 의해 움직이기 쉬운 쪽의 관절 끝

2-2 근육계의 기능

(1) 근수축의 형식

근수축의 형태를 등척성 수축과 등장성 수축으로 나누어 분류할 수 있다.

가. 등척성 수축

근의 길이 변화를 수반하지 않고 근력을 발휘할 때의 근수축인데 이를 정적 근력이나 최대 근력이라고도 한다. 악력이나 배근력 등과 같이 고정되어 있는 부분을 잡아당기거나, 철봉에 매달리거나, 움직이지 않는 벽을 밀거나 역도를 꾹 참고 들고 있을 때에 이 종류의 근수축을 말한다.

나. 등장성 수축

근이 일정한 장력을 발휘하면서 근을 단축시키는 듯한 근수축 형태로서, 관절은 폈다가 구부러지지나 반대로 구부렸다 펴지거나 하는 형태가 된다. 예를 들면, 물건을 들어 올릴 때나 달리거나 던질 때 등의 경우이다.
몸의 움직임을 수반하는 동작에서는 주로 등장력성 수축이 일어난다. 한편. 몸을 지탱하는 듯한 동작에서는 근의 단축이 허용되지 않는 상황에 있기 때문에 주로 등척성수축이 일어난다.

참고

- 단축성 수축 : 근의 수축력이 대항하는 외력보다는 크기 때문에 외력을 이겨내고 근이 단축하면서 장력을 발생하는 상태를 말한다. 물건을 들어 올리는 경우 등에서 보여 진다.
- 신장성 수축 : 근의 수축력이 저항하는 외력보다 작기 때문에 근이 신장되는 수축이다. 발기된 근력은 수축형식에 의해 달라지며 ,신장성 수축이 가장 크다.

(2) 근육의 형태

근육은 여러 가지 모양을 하고 있으나 가장 전형적인 형태는 가락모양이다. 근육의 중앙부분은 근조직이 많아 힘살이라고 부르며, 힘살의 양끝은 힘줄(tendon)이리는 강인한 결합조직으로 이행하여 뼈에 부착한다. 근육의 부착은 굵은 힘줄이나 혹은 얇은 널힘줄에 의해 이루어진다. 근육이 골격에 부착된 양끝 중 근위부, 즉 운동범위가 작은 부위를 기시부(origin)라 하며 운동범위가 큰 부분을 원위부(insertion)라 한다.

다시 말해, 근육이 수축할 때 위치가 고정되는 부위가 기시부이고 움직이는 부위가 원위부(정지부)이다. 이와 같이 골격근은 뼈에 부착되기 때문에 항상 기시부와 원위부를 알아야만 근육의 작용은 물론 어느 신경이 그 근육을 지배하는가를 쉽게 이해할 수 있다.

❖ 골격근의 작용

종류	내용
주동근(prime mover)	운동을 하는데 주요 역할을 하는 근
보조근(assistant mover)	주동근을 도와 같이 작용하는 근
협력근(synergist)	운동을 일으키는데 함께 작용하는 근
길항근(antagonist)	다른 근육과 반대로 작용하는 근

❖ 골격근의 기능

기능	내용
운동	수축에 의해 신체의 일부나 전체를 움직이게 한다.
자세유지	부분적인 수축을 계속하거나 앉아 있는 자세를 유지하는 등의 신체 자세를 유지한다.
열생산	모든 세포가 이화작용으로 열을 생산하지만, 골격근은 양적으로 많고 각 근세포의 활동성이 높아 체내의 대부분 열 생산은 근세포들에 의한 것이라 할 수 있다. 근의 활동 중에 방출되는 에너지의 75%가 열로 소모되고 나머지 25%가 힘을 발휘한다. 근수축시의 열 발생은 수축기(근내부 저항을 이기는데 사용)에 29%, 이완기(근수축시의 근장력의 에너지가 열에너지로 변환된 것)에 16%, 회복기(산화과정에서 발생하는 열량)에 55%로 회복기에 가장 많은 열을 발생한다. 이는 체온의 항상성 유지에 중요한 기능이다.

2-3 골격근의 구조

(1) 골격근 명칭

분류	종류
모양(shape)	삼각근, 승모근, 원근, 능형근
위치(location)	측두근, 흉근, 복근, 외전근, 대퇴근, 늑간근, 전경골근, 안륜근
크기(size)	대둔근, 중둔근, 소둔근, 대흉근
운동(action)	거근, 신근, 굴근
근섬유의 방향에 따라	내직근, 외직근, 상사근, 복횡근, 외복사근
기시부의 수에 따라	이두근, 삼두근, 사두근
기시부와 정지부에 따라	흉쇄유돌근

(2) 골격근 해부

가. 두부의 근

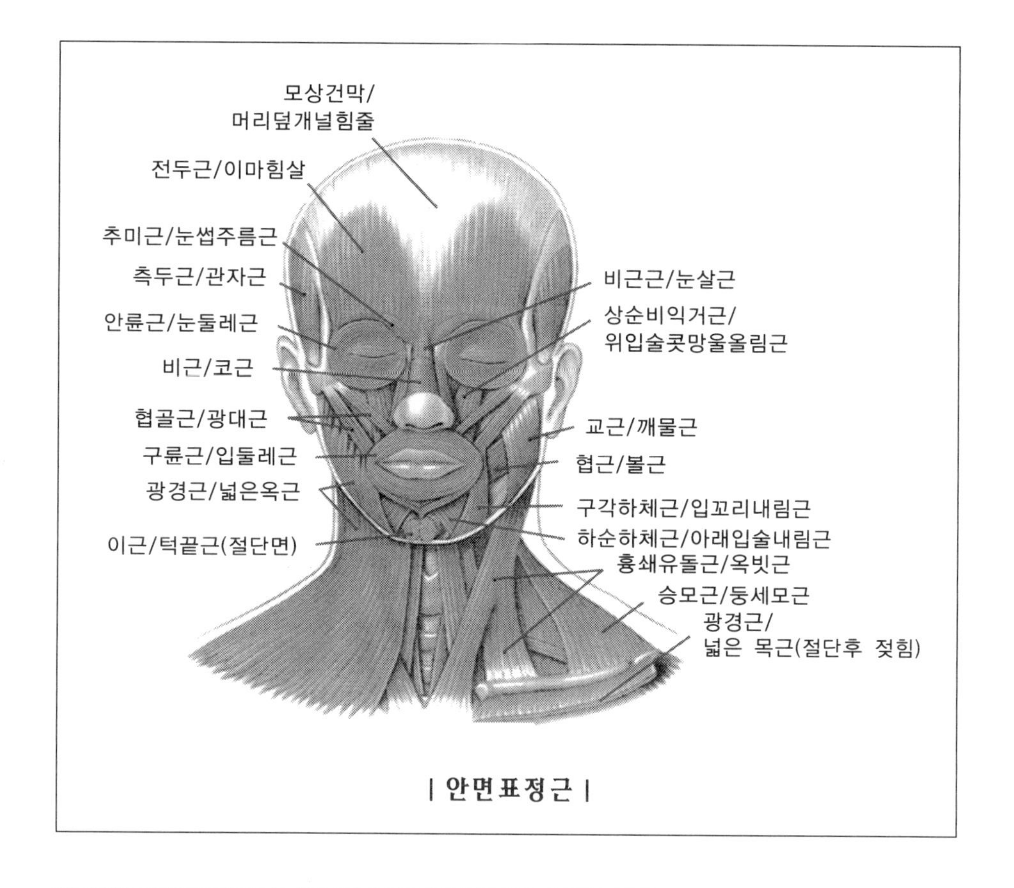

| 안면표정근 |

	근명	기시	정지	작용
표정근 ⇒ 안면의 피하에 있어 피부를 움직이고 안면신경 지배	전두근	전두골	이마의 피부	이마에 주름, 눈썹을 위로 올린다.
	안륜근	상악골과 전두골	눈주의 피부	눈을 감는다.
	협골근	협골	입모서리	입모서리를 올린다.
	구륜근	상악골과 하악골 (입술의 피부)	입술주위 피부	입을 닫고 입술을 오므린다.
	추미근	전두골	눈썹피부	눈썹을 함께 잡아당기고 이마를 수직으로 주름
	협근	상악골과 하악골	입모서리	뺨을 압축한다.

	비근	비골하부	눈썹사이 피부	눈썹을 내리고 코주름
저작근 ⇒ 악관절 운동에 관계, 삼차신경가지인 하악신경의 지배	교근	협골궁	하악골모서리	턱을 닫게 한다.
	측두근	측두와	하악골의 구상돌기	턱을 닫게 한다.
	내측익돌근	접형골의 익상돌기	하악골 내면하부와 하악각의 내면	하악을 상전방으로 끌어당겨 입을 열거나, 저작시 회전운동
	외측익돌근	접형골의 대익	하악골의 관상돌기	하악을 하전방으로 끌어당겨 입을 열거나, 저작시 회전운동

나. 경부의 근

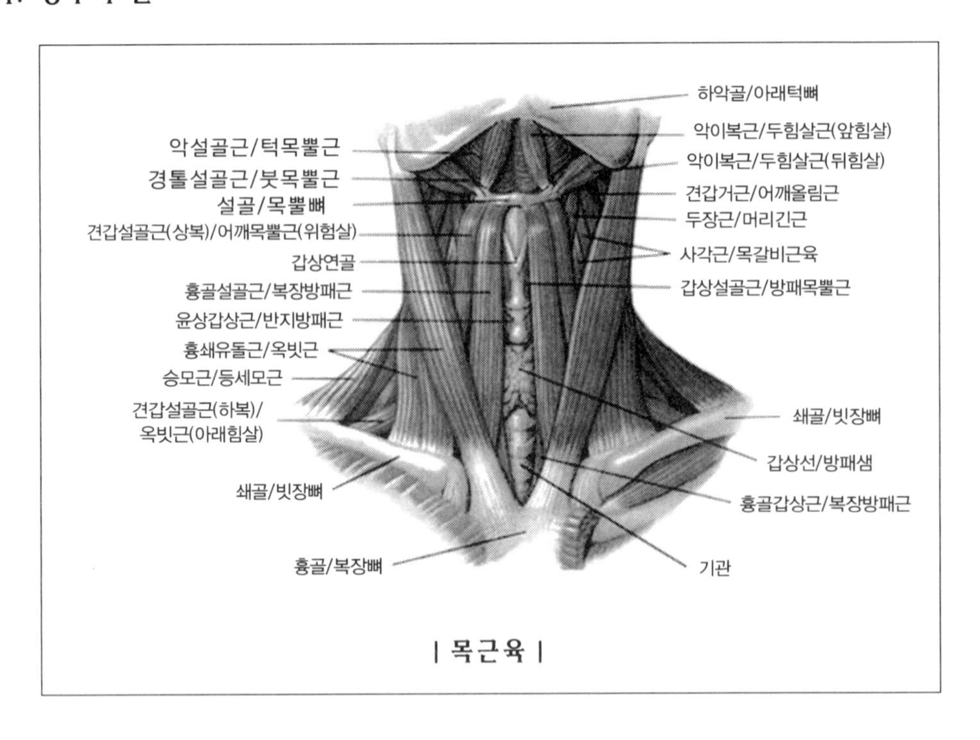

| 목근육 |

종류	내용
승모근(등세모근)	뒤쪽 목을 구성하고, 머리와 목을 신전시키는 기능
흉쇄유돌근(빗목근)	목의 앞쪽과 옆쪽을 관장, 양쪽 흉쇄유돌근이 수축 ⇒ 목은 숙여지게 된다.

참고 경부근육은 머리와 목을 움직이는데 관여한다.

참고 [어깨근육]

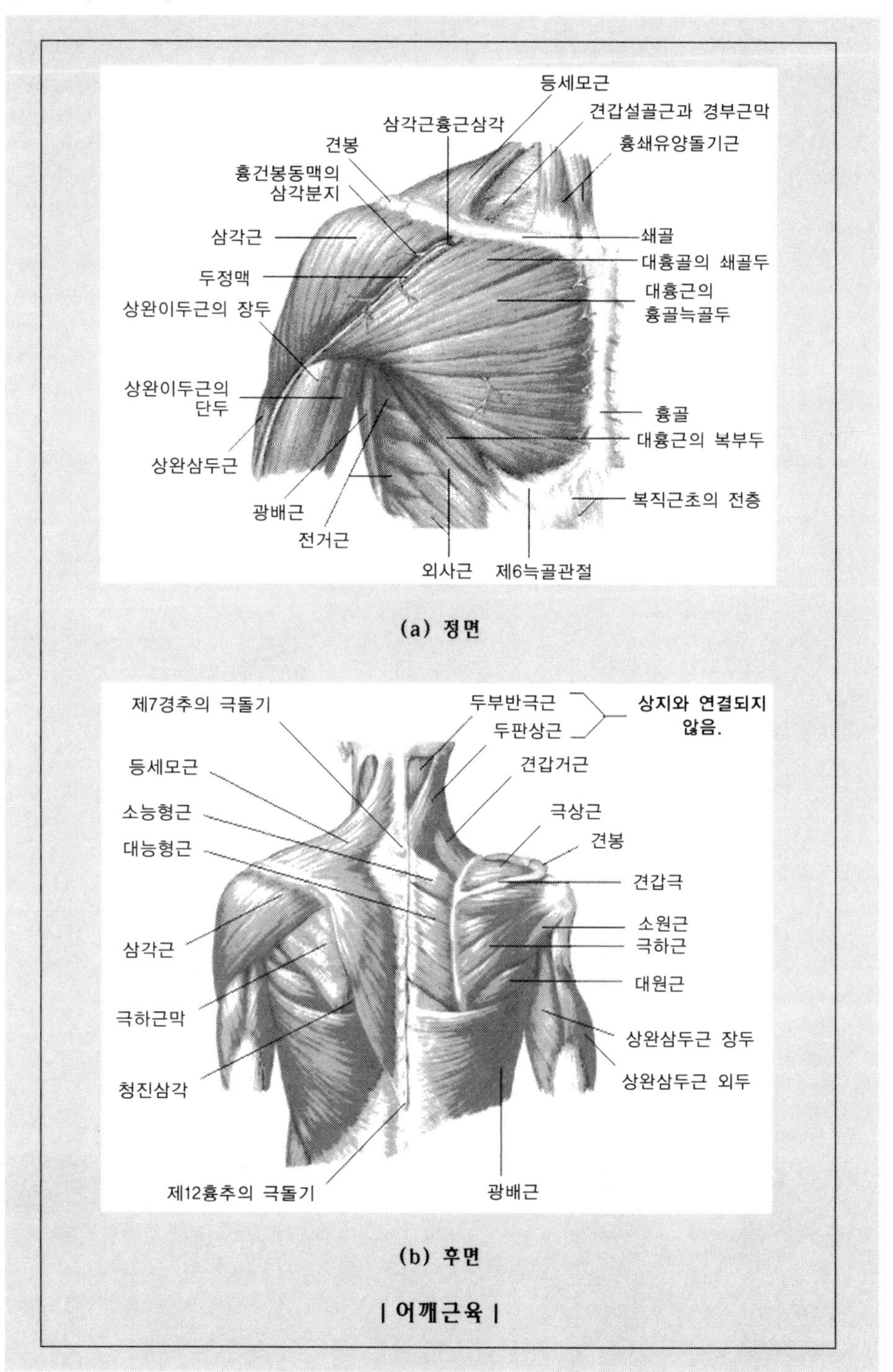

(a) 정면

(b) 후면

| 어깨근육 |

다. 배부의 근

분류	종류	내용
표층의 근	승모근(등세모근)	뒤쪽 목을 구성하고, 머리와 목을 신전시키는 기능
	광배근	팔의 신전과 내전
	능형근	견갑골의 내전과 회전
심층의 근	척주기립근	척주의 신전, 외전, 회전
	후두하근군	머리의 운동
	늑골거근	늑골을 끌어올린다.

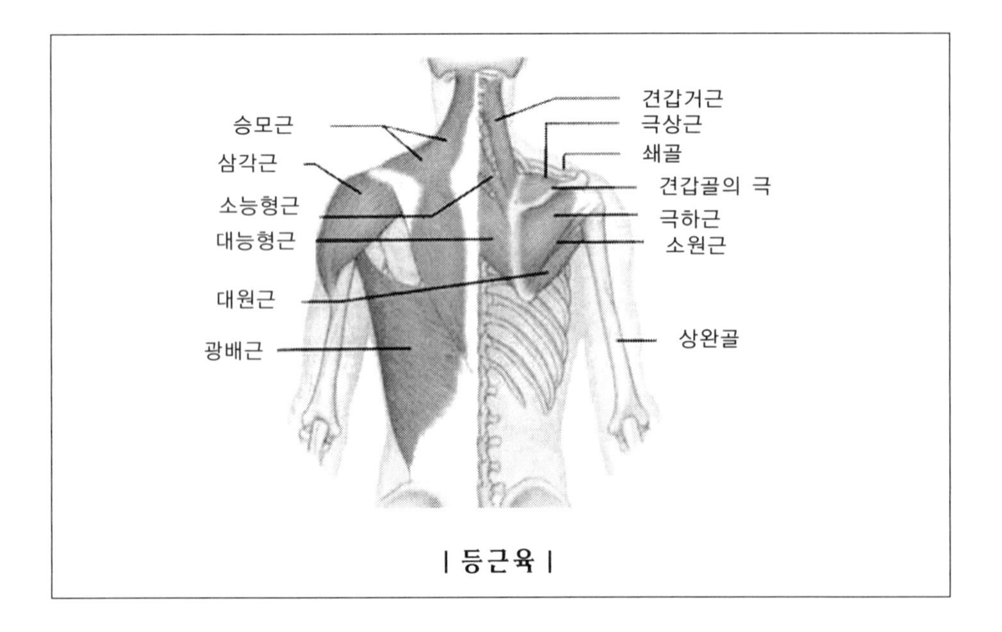

| 등근육 |

라. 흉부의 근

분류	종류	내용
천흉근군	대흉근	부채모양의 근, 상완의 굴곡, 내전, 내측회전운동에 관여한다.
	소흉근	견갑골을 전후방으로 당긴다.
심흉근군	외늑간근	늑골을 들어 올려 흉강을 넓힌다.

	내늑간근	늑골의 아래로 당겨 흉강을 좁힌다.
횡격막		상면 : 심장과 폐
		하면 : 간, 위 비장(흉골부, 늑골부, 요추부)
		• 흉강과 복강을 경계, 횡격신경의 지배 • 횡격막에 의한 호흡 ⇒ 복식호흡(abdominal respiration) ✓ 횡격막이 수축 → 흉강이 넓어져 흡기근으로 작용 ✓ 이 완 → 흉강이 좁아져 호기근으로 작용

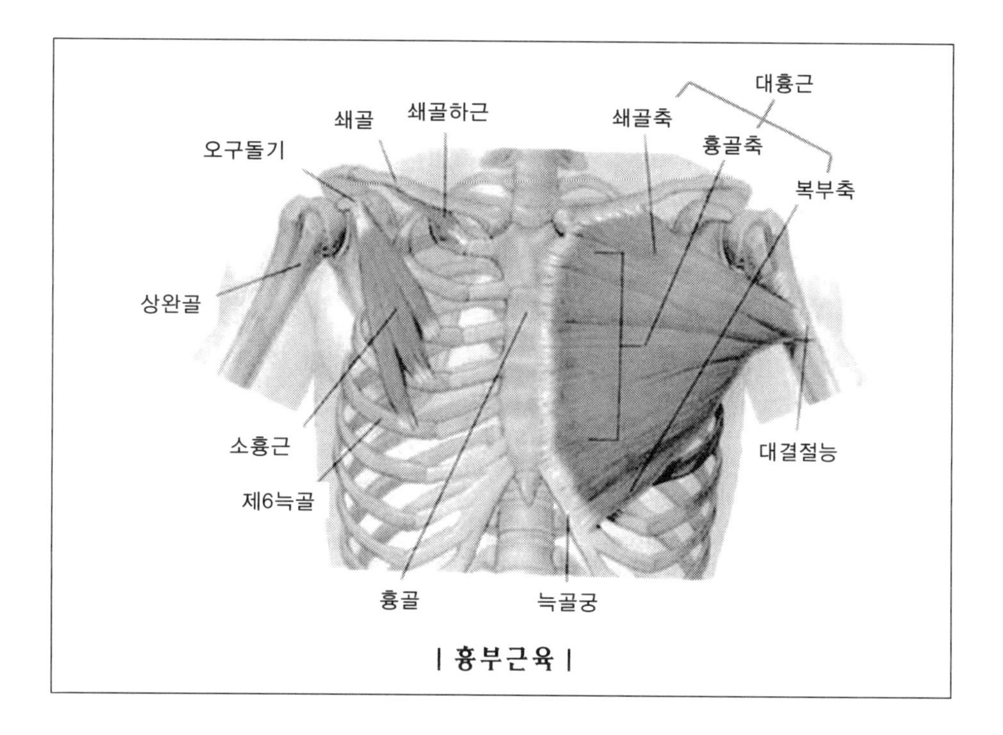

| 흉부근육 |

마. 복부의 근

분류	내용
복직근	척주의 굴곡(복부압박), 복강장기를 보호, 호흡 · 배뇨 · 배변 및 분만 등에 관여
외복사근	외측벽의 가장 표층, 척주의 회전과 굴곡(복부압박)
내복사근	중간층, 척주의 회전과 굴곡(복부압박)
복횡근	복부압박, 복부압박, 외복사근과 내복사근 보조
요방형근	한 쪽만 작용 시 척주의 외측굴곡, 체간의 굴곡보조

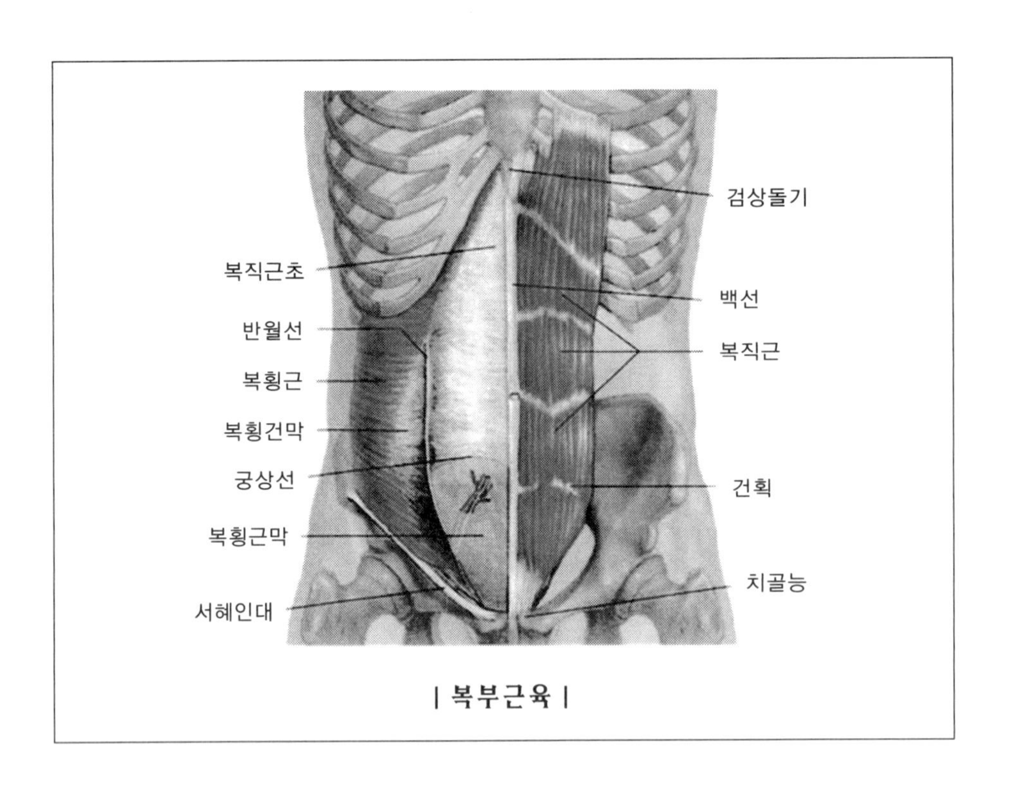

| 복부근육 |

바. 상지의 근

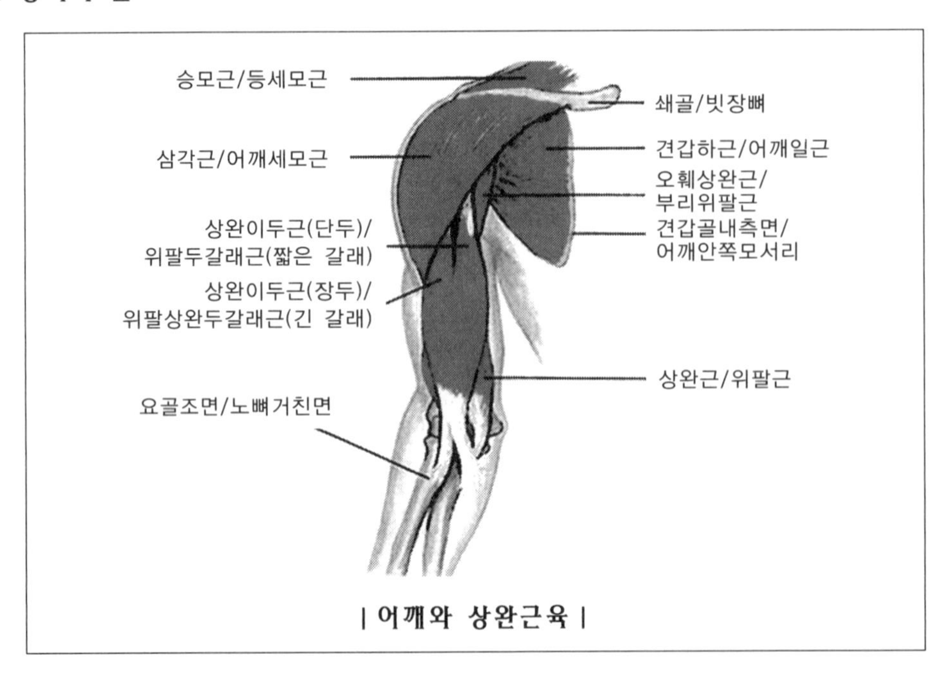

| 어깨와 상완근육 |

① 상지대를 움직이는 근 ② 상완근을 움직이는 근
③ 전완을 움직이는 근 ④ 손과 손가락을 움직이는 근
⑤ 손의 고유근

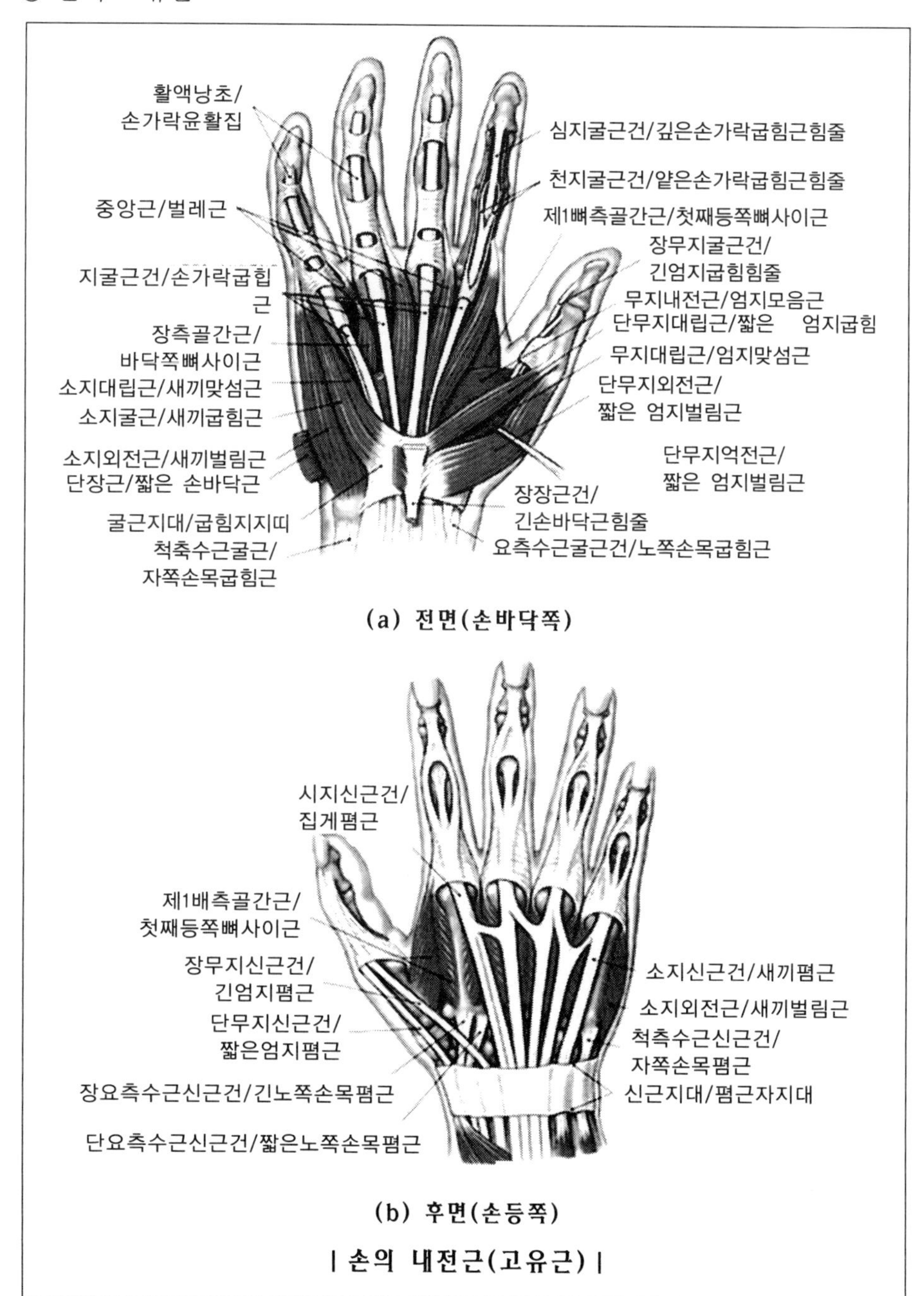

(a) 전면(손바닥쪽)

(b) 후면(손등쪽)

| 손의 내전근(고유근) |

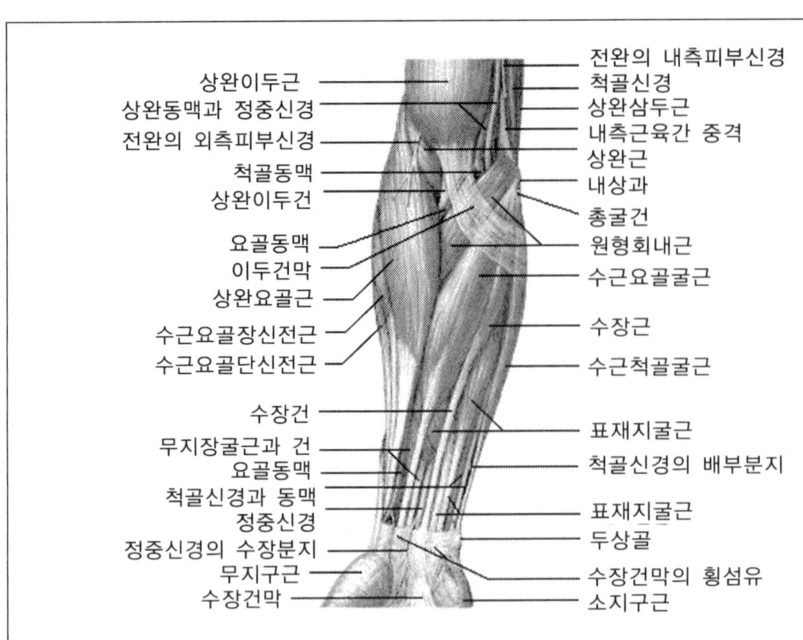

(a) 전면상

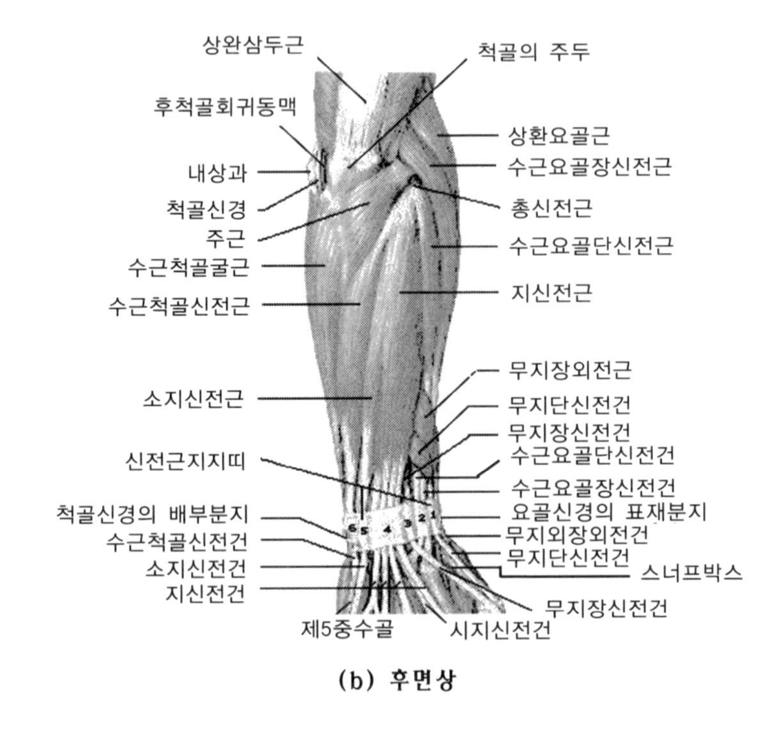

(b) 후면상

| 전완의 근육(표층) |

사. 하지의 근

① 대퇴를 움직이는 근 ② 하퇴를 움직이는 근
② 발가락과 발가락을 움직이는 근 ④ 발의 고유근

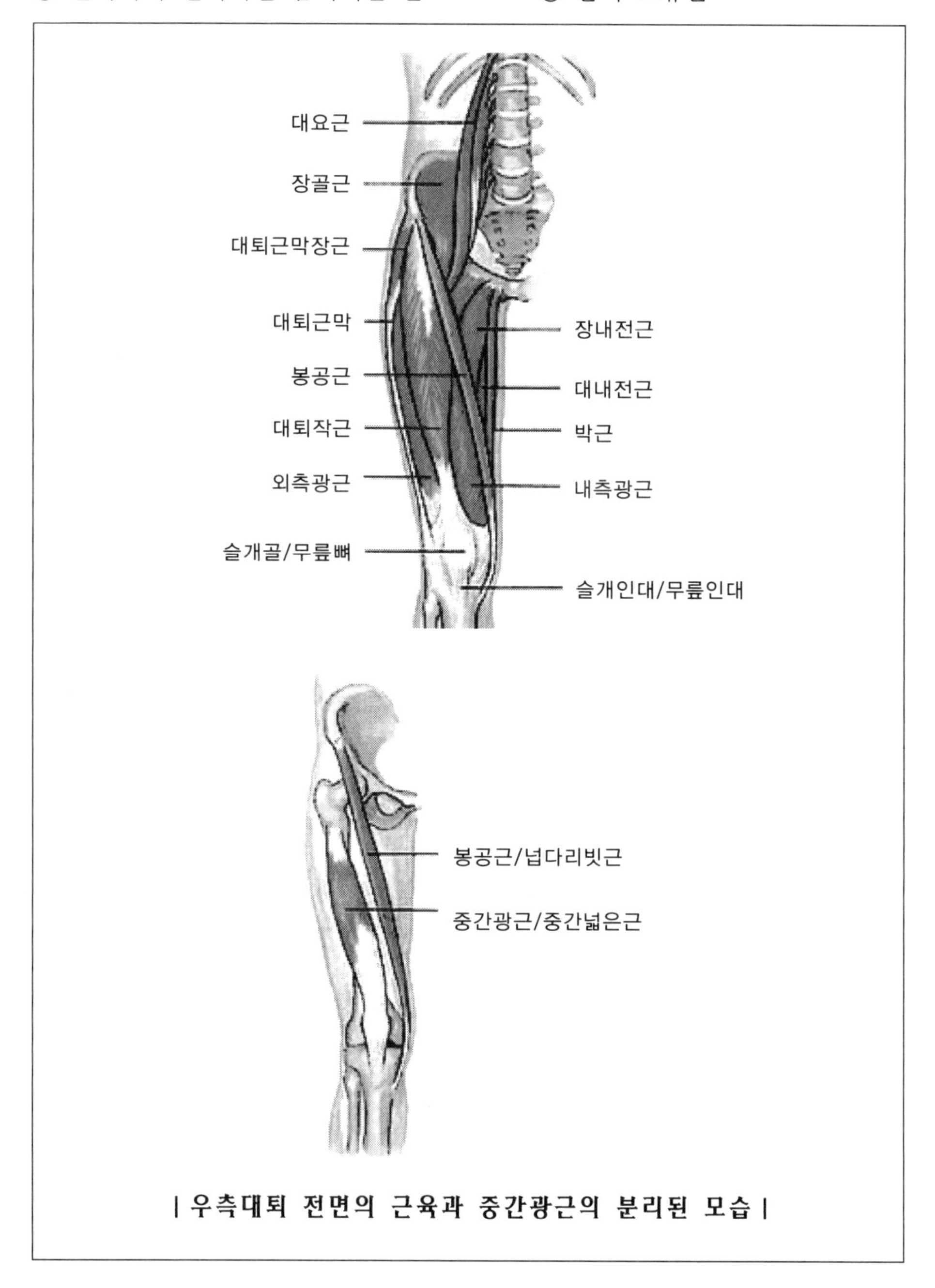

| 우측대퇴 전면의 근육과 중간광근의 분리된 모습 |

❖ 대퇴를 움직이는 근육

명칭	기시	종지	작용	신경지배
대요근 (psoas major)	요추의 척추 사이 원반 : 요추의 추체와 가로 돌기	대퇴골의 소전자	대퇴를 굴곡, 요추안정	제1～제3요수신경의 가지
장골근 (iliacus)	장골의 장골와	대퇴골의 소전자	대퇴를 굴곡	대퇴신경
대둔근 (gluteus maximus)	천추, 미추와 장골의 후면	대퇴골의 후면과 대퇴근막	고관절에서 대퇴를 신전	하둔신경
중둔근 (gluteus medius)	장골의 외측면	대퇴골의 대전자	대퇴의 외전, 내측 회전	상둔신경
소둔근 (gluteus minimus)	장골의 외측면	대퇴골의 대전자	중둔근과 같음.	상둔신경
대퇴근막장근 (tensor fascia latae)	장골능선의 전면	장경인대(대퇴근막)	대퇴의 외전, 굴곡, 내측 회전	상둔신경
치골근 (pectineus)	치골가시	소전자 원위부의 대퇴골	대퇴의 내전, 굴곡	폐쇄신경과 대퇴신경
장내전근 (adductor longus)	치골결합 근처의 치골	대퇴골의 후면	대퇴의 내전, 굴곡, 외측 회전	폐쇄신경
대내전근 (adductor magnus)	좌골결절	대퇴골의 후면	대퇴의 내전, 신전, 외측 회전	폐쇄신경과 좌골신경의 가지
박근 (gracilis)	치골결합의 아래 끝	경골의 내측면	대퇴의 내전, 무릎에서 다리를 굴곡	폐쇄신경

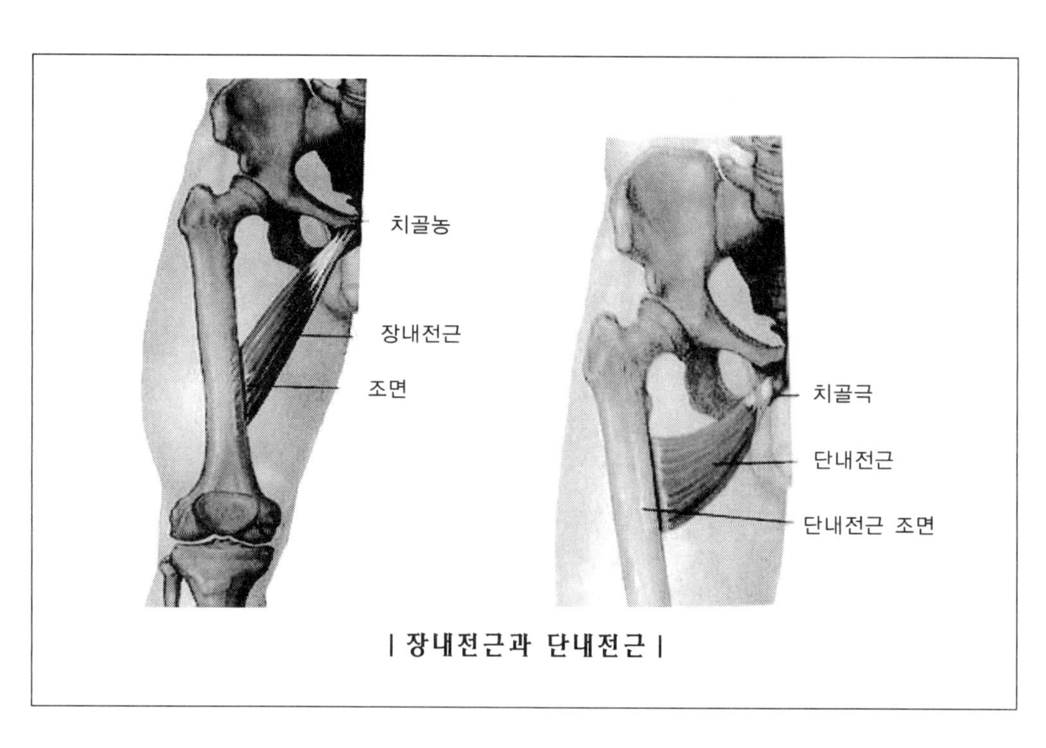

| 장내전근과 단내전근 |

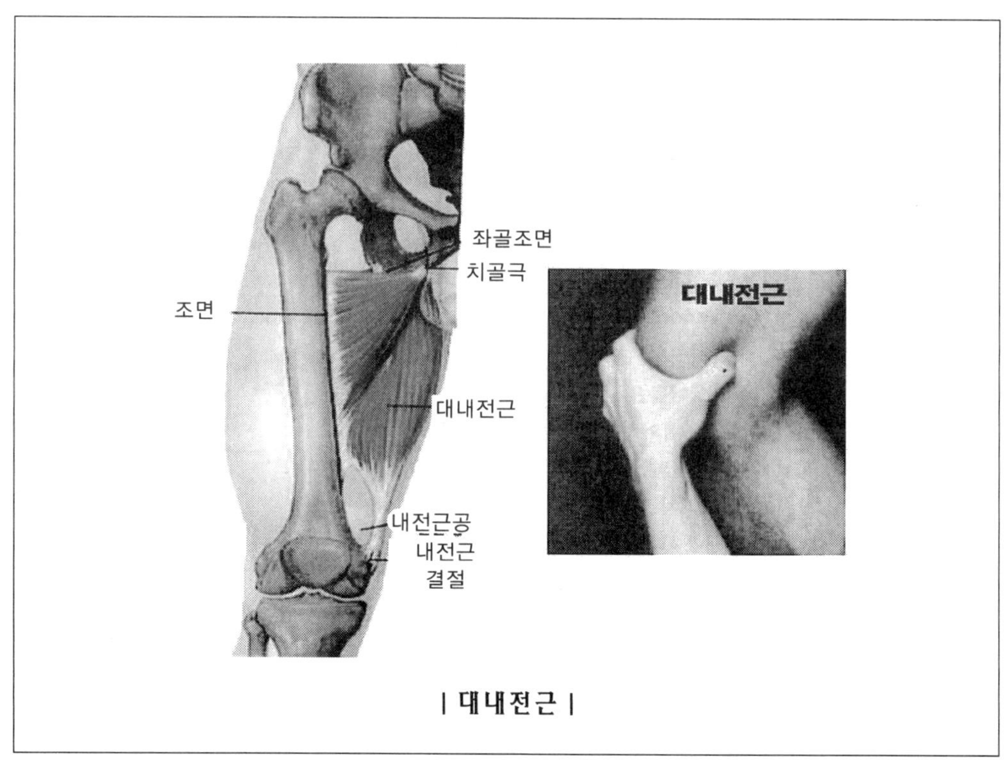

| 대내전근 |

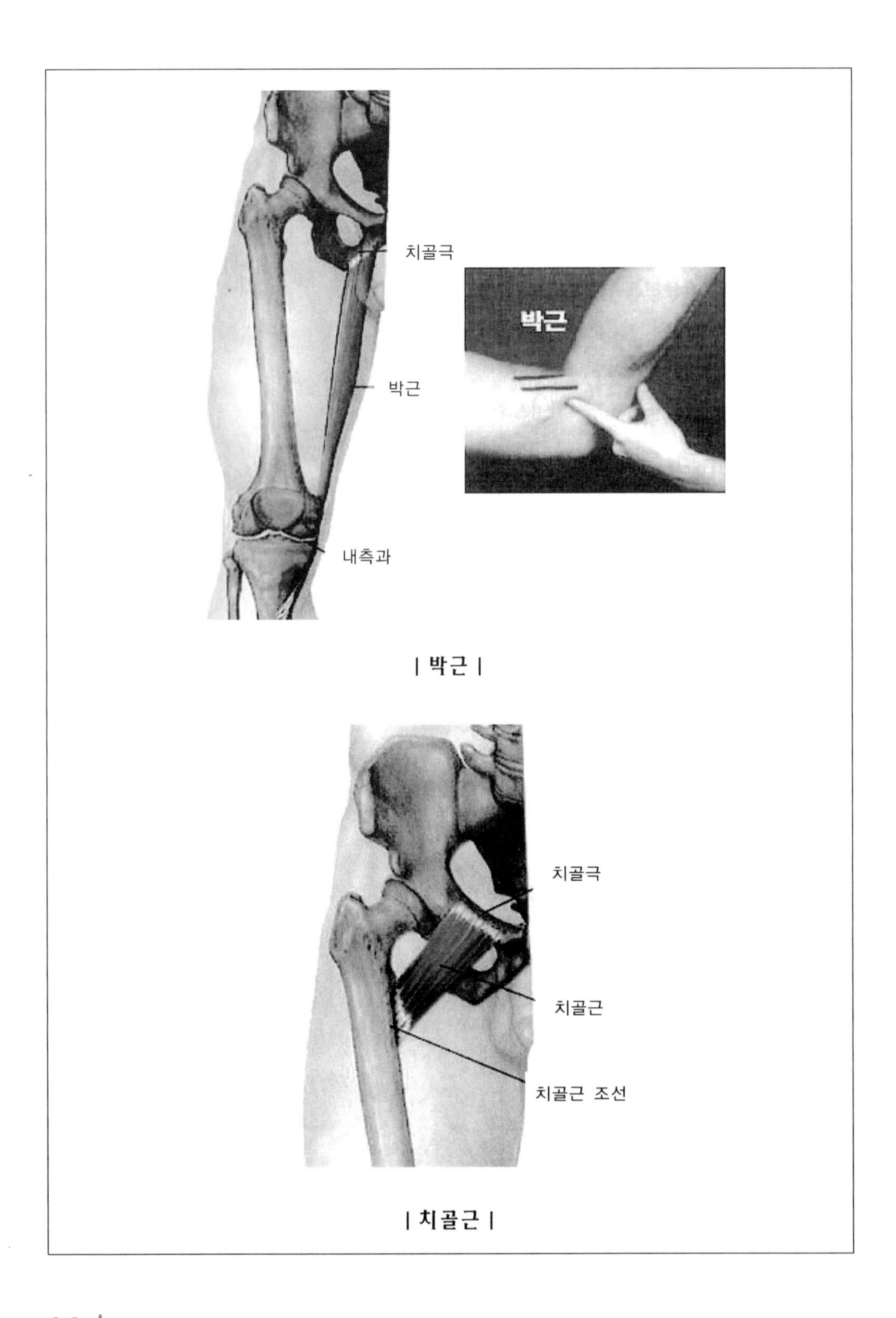

| 박근 |

| 치골근 |

❖ 다리를 움직이는 근육

<table>
<tr><th colspan="2">명칭</th><th>기시</th><th>송지</th><th>작용</th><th>신경지배</th></tr>
<tr><td rowspan="3">무릎 굴곡근 (Hamstr-ing grokup)</td><td>대퇴 이두근</td><td>좌골결절과 대퇴골 조선</td><td>비골의 머리와 경골의 외측</td><td>다리를 굴곡 시키고, 외측으로 회전시키며, 대퇴를 신전</td><td>경골신경</td></tr>
<tr><td>반건 양근</td><td>좌골결절</td><td>경골의 내측면</td><td>다리를 굴곡 시키고, 내측으로 회전시키며, 대퇴를 신전</td><td>경골신경</td></tr>
<tr><td>반막 양근</td><td>좌골결절</td><td>경골의 과상돌기</td><td>다리를 굴곡 시키고, 내측으로 회전시키며, 대퇴를 신전</td><td>경골신경</td></tr>
<tr><td colspan="2">봉공근 (Sartorius)</td><td>전상좌굴곡</td><td>경골의 내측면</td><td>다리와 대퇴를 굴곡 시키고, 대퇴를 외전, 외측으로 회전</td><td>대퇴신경</td></tr>
<tr><td rowspan="4">대퇴 사두근 (Quadri-ceps femoris group)</td><td>대퇴 직근</td><td>장골극과 관골구의 가장 자리</td><td rowspan="4">공통된 힘줄로 슬개골에 종지하며, 슬개인대로 연속되어 경골조면까지 연결</td><td rowspan="4">무릎에서 다리를 신전</td><td rowspan="4">대퇴신경</td></tr>
<tr><td>외측 광근</td><td>큰대퇴돌기와 대퇴골의 후면</td></tr>
<tr><td>내측 광근</td><td>대퇴골의 내측면</td></tr>
<tr><td>중간 광근</td><td>대퇴골의 전면, 내측면</td></tr>
</table>

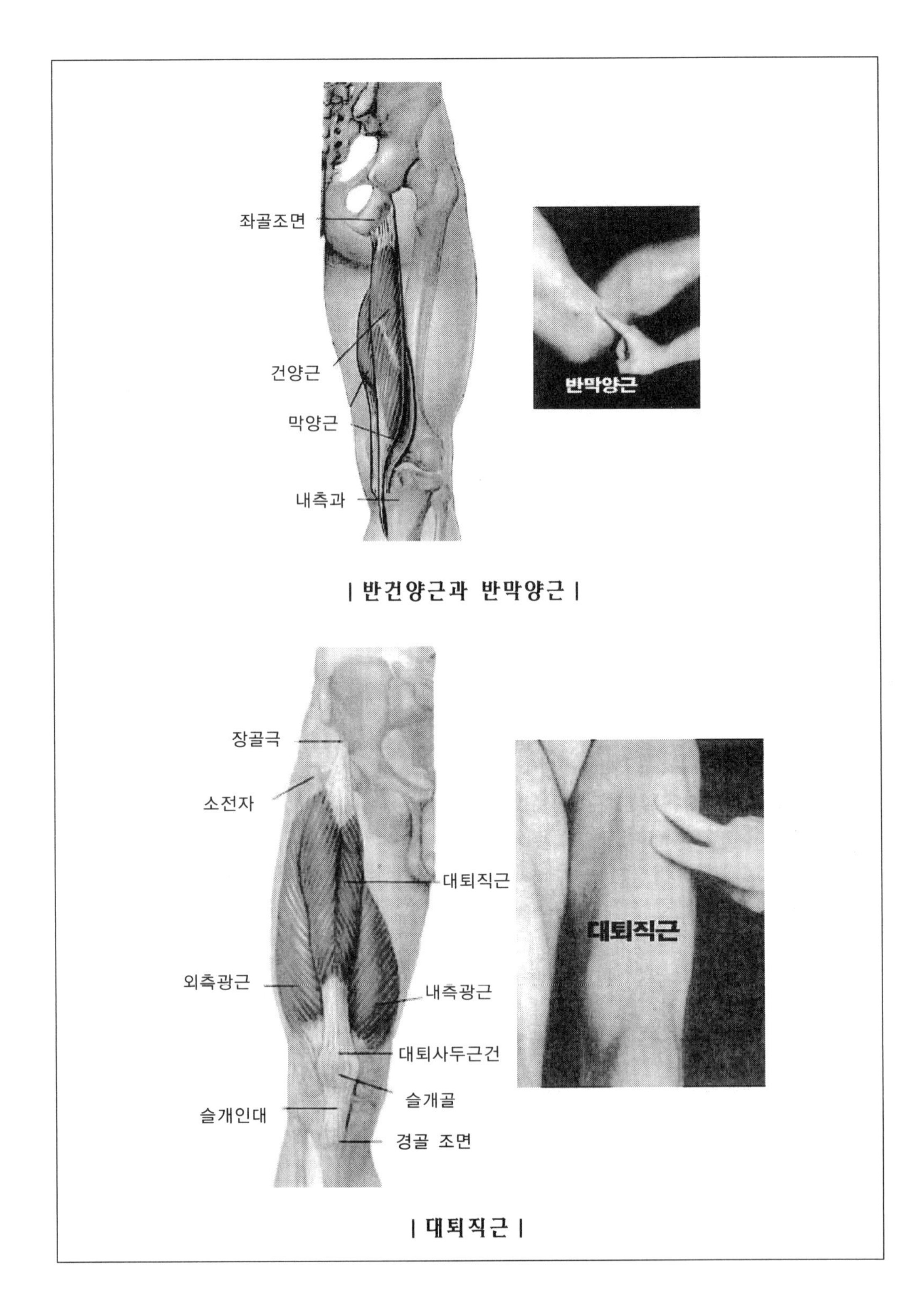

| 반건양근과 반막양근 |

| 대퇴직근 |

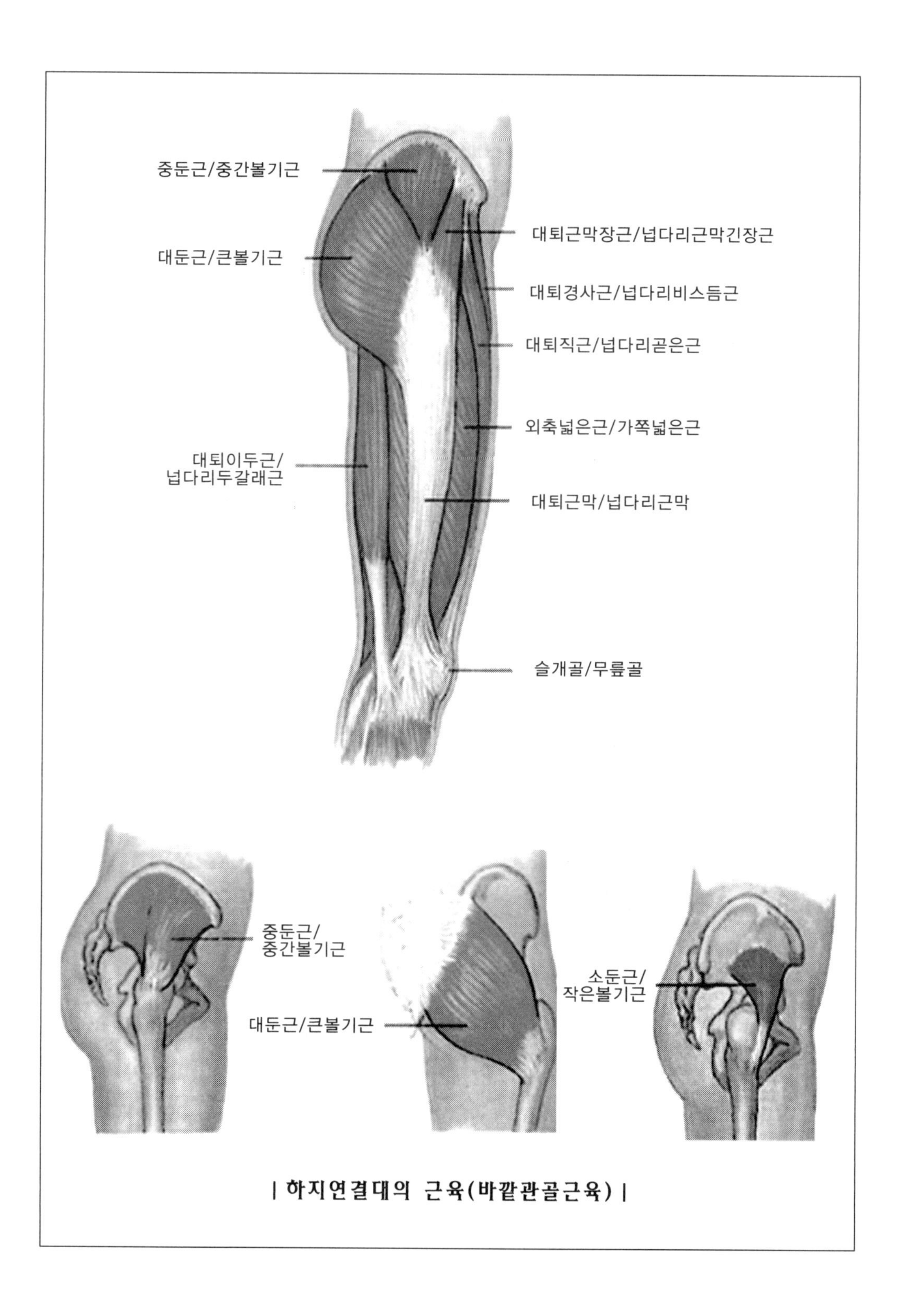

| 하지연결대의 근육(바깥관골근육) |

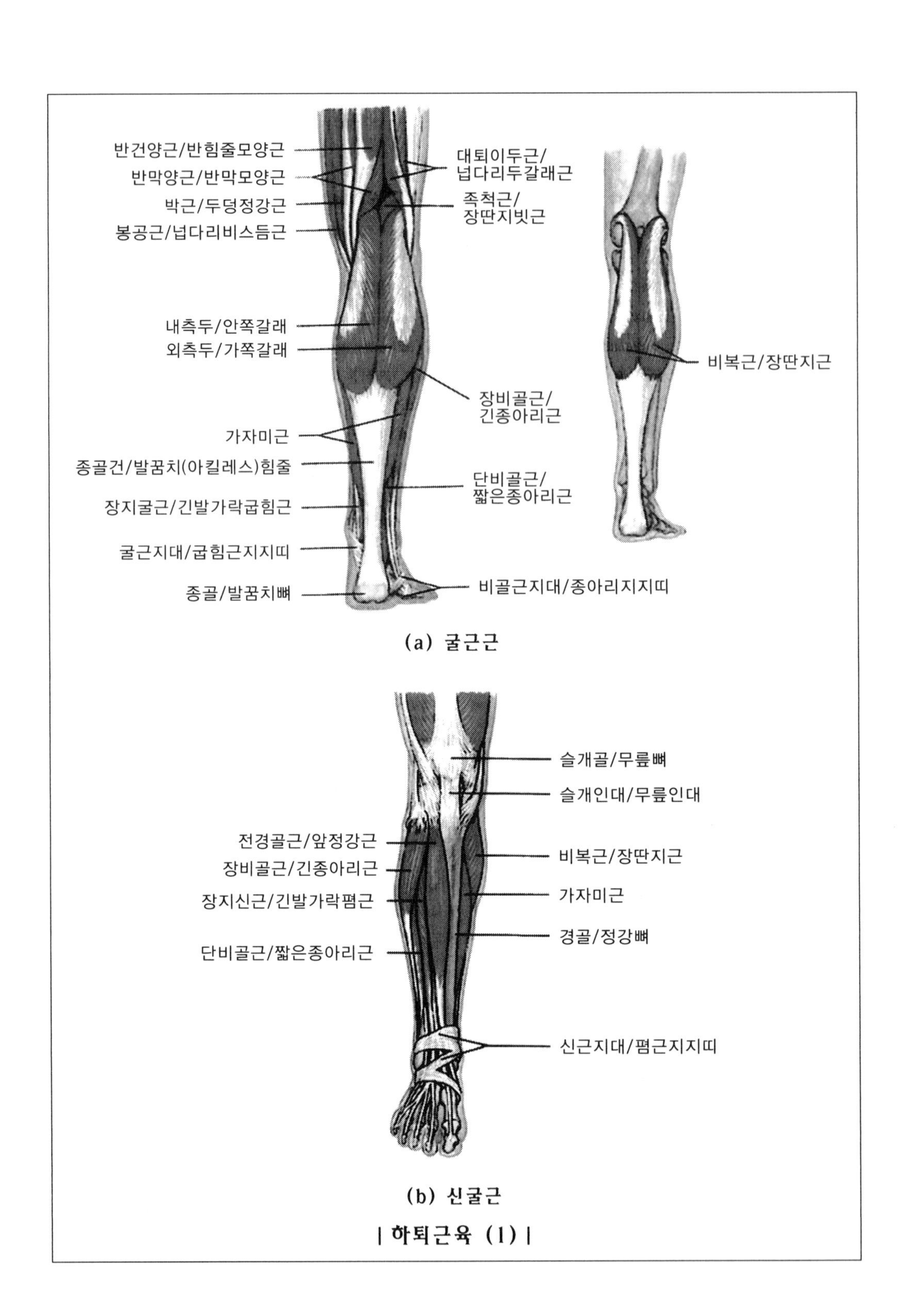

(a) 굴근근

(b) 신굴근

| 하퇴근육 (1) |

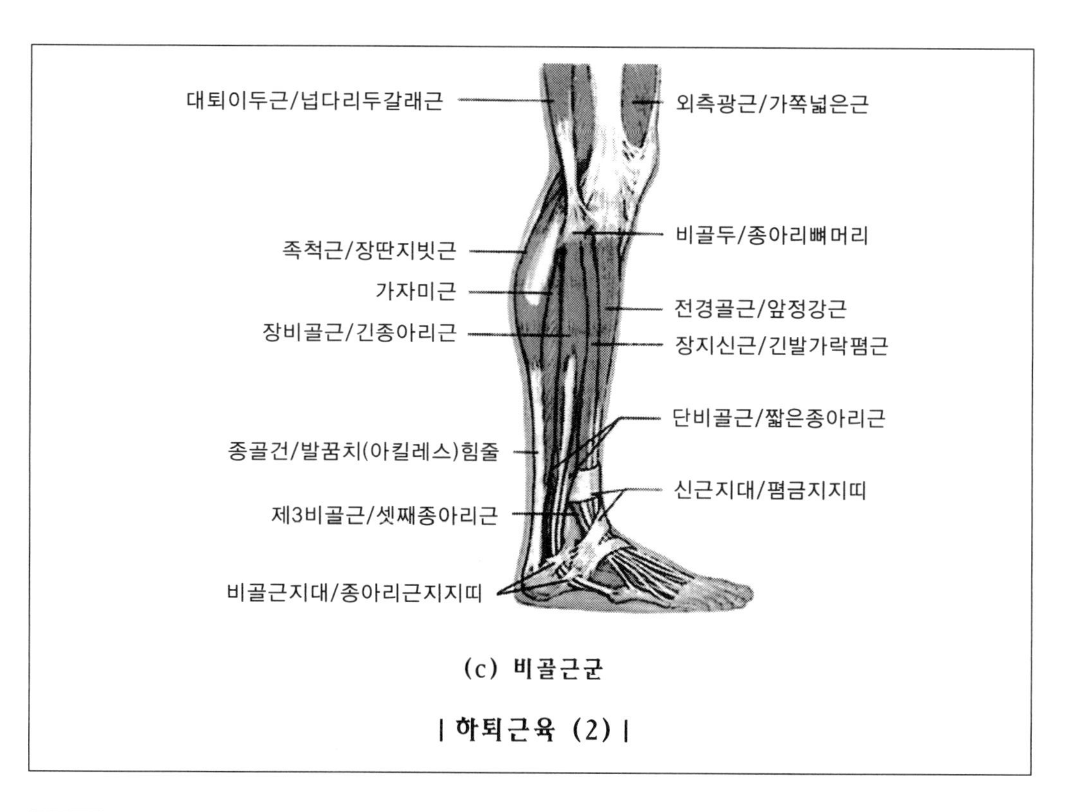

(c) 비골근군

| 하퇴근육 (2) |

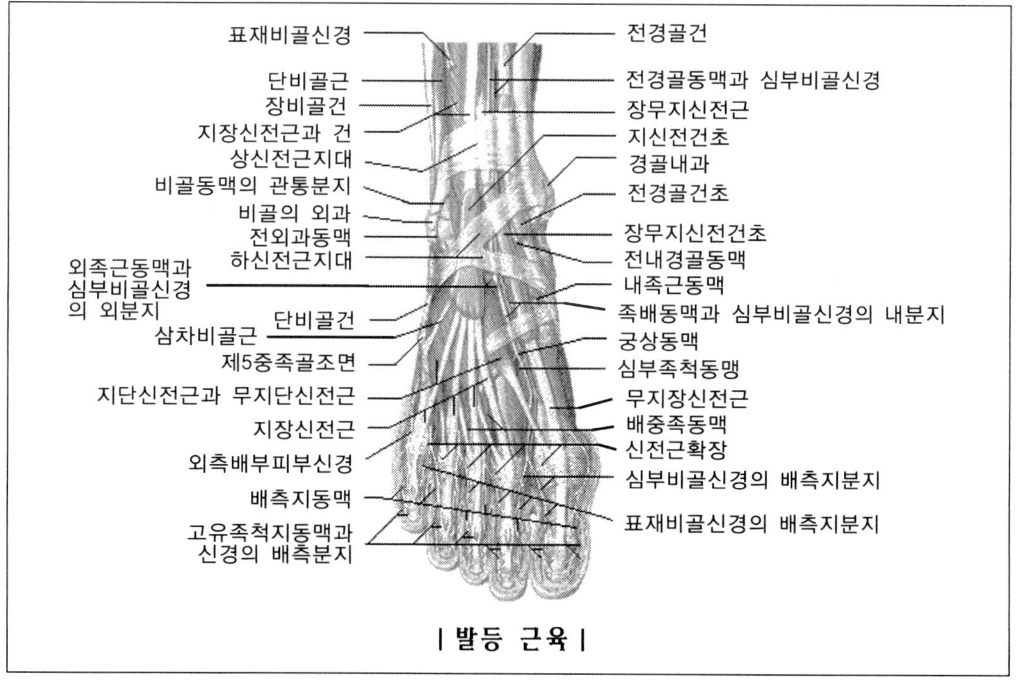

| 발등 근육 |

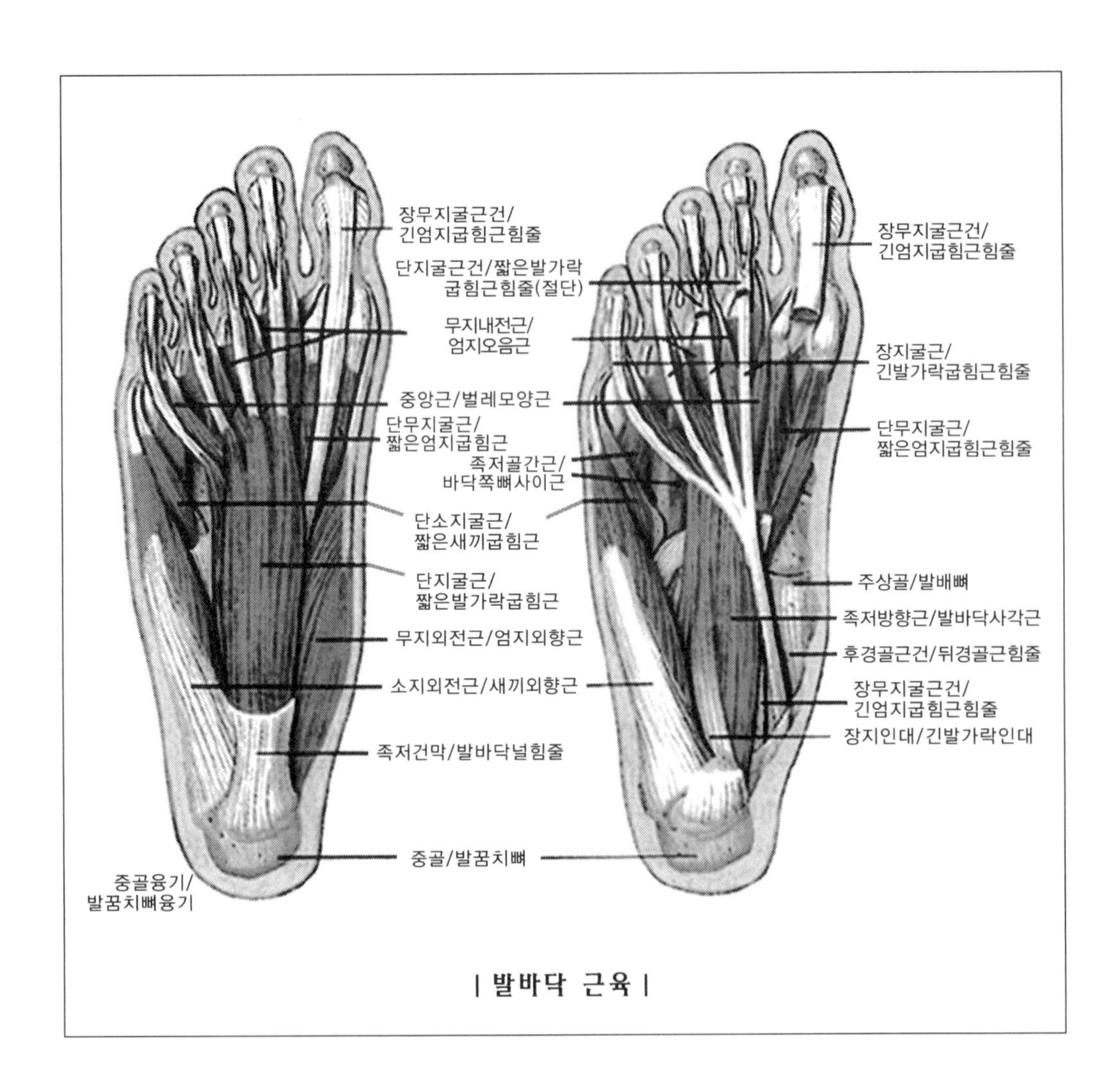
장무지굴근건/
긴엄지굽힘근힘줄
단지굴근건/짧은발가락
굽힘근힘줄(절단)
무지내전근/
엄지오음근
중앙근/벌레모양근
단무지굴근/
짧은엄지굽힘근
족저골간근/
바닥쪽뼈사이근
단소지굴근/
짧은새끼굽힘근
단지굴근/
짧은발가락굽힘근
무지외전근/엄지외향근
소지외전근/새끼외향근
족저건막/발바닥널힘줄
중골/발꿈치뼈
중골융기/
발꿈치뼈융기
장무지굴근건/
긴엄지굽힘근힘줄
장지굴근/
긴발가락굽힘근힘줄
단무지굴근/
짧은엄지굽힘근힘줄
주상골/발배뼈
족저방향근/발바닥사각근
후경골근건/뒤경골근힘줄
장무지굴근건/
긴엄지굽힘근힘줄
장지인대/긴발가락인대

| 발바닥 근육 |

MEMO

Part 02

1. 연동요법의 개요
2. 연동요법이란 어떤 것인가?
3. 동작분석과 연동요법
4. 연동관계 기본이론
5. 치유가 일어나는 동작
6. 인체변형을 가져오는 각종자세

기 초 편

"연동요법이란 어떤 것인가?" "신체의 이상을 연동요법에서는 어떻게 찾아내고 어떻게 다룰 것인가?"에 대한 기초를 공부하겠다.
현상면에 얽매이지 않고, 각종 원리 · 원칙을 이해하고 신체를 바르게 조정하는 자세가 중요하다. 동작을 정확하게 분석하고, 어떻게 해서 관련 부위를 모두 연동시키는가?
연동요법의 특징인 "연동(連動)"을 이해하는 것으로부터 시작하자. 연동은 해부학, 생리학의 분야에서도 다루지 않고 있다. 그러나 일상에서는 이 연동의 영향으로 신체에 많은 변형을 만든다. 아무리 고쳐도 비뚤어진 몸이 생기는 것은 어찌된 것인가는 여기에서 서술한 2부 기초편에 이어서 3부 실기편을 공부한다면 한층 이해하기 쉬워진다. 그리고 이것은 어렵고 특수한 기술이 아니고 연동요법의 기본을 바르게 이해해서 행한다면 누구나 쉽게 배울 수 있고 활용할 수 있다는 것이다. 실습과 함께 재미있게 공부해 보자.

【범례】

본문의 그림에서 화살표 표시는 오른쪽과 같다.	⇨	저항의 방향
	→	환자가 움직이는 방향(보조동작)
	➡	환자의 주된 움직임(주동작)

1 연동요법의 개요

1-1 치료와 치유의 차이는 무엇일까?

치료(治療, Treatment, Therapy)는 병을 다스려 고치는 것으로 의사 또는 타인에 의한 외부적 작용에 의해 병을 다스려 고치는 것이다. 따라서 몸에 큰 상처가 나면 치료를 해야 한다.

반면 치유(治癒, Healing)는 병을 다스려 스스로 나아지는 것으로, 내부적으로 병이 낫는 것을 의미한다. 식이요법이나 운동으로 건강이 좋아진 것이나 마음의 병은 치유가 더 어울린다 하겠다.

자연치유 연동요법(이하 연동법)은 일본국 센다이의 의사인 고 하시모토(橋本敬三)박사가 "현대의학에서 낫지 않는 환자가 거리의 치료술사를 찾는 것은 왜일까?"라는 의문을 갖고 한방, 민간요법 등의 연구에서 힌트를 얻어서 창안하였고 이를 토대로 네모토 료이치(根本郎一)선생이 더욱 계승 발전시킨 연동조체법에 저자가 보다 완전한 자연치유가 될 수 있도록 기공치료체조인 양생체조와 접목하여 체계화한 것이다.
어떤 자세와 동작을 취했을 때 인체의 각 근육은 서로 연관되어 움직이며, 이를 통하여 척추와 근육의 균형을 조정하는 연동요법은 약물이나 특별한 기구를 사용하지 않고, 스스로의 움직임으로 자신을 고친다는 유래가 없는 자연치유행위로 효과가 빠르며 아프지 않고, 부작용 없이 안전하여 누구나 쉽게 배울 수 있는 장점을 가지고 있다.
연동요법은 편안한 동작만을 하는 표면의 리듬이 아니고 체감에 따라서 연동이 일어나는 움직임을 하는 등 특수한 요소가 있고, 이것은 개인차가 있기 때문에 여러 사람이 같이 하는 것보다 개별적으로 유도하는 것이 바람직하다.
연동요법은 타인의 힘에 의한 조작이 아니라 환자 자신의 움직임에 의한 것이므로 환자가 잘 움직여주는 것이 성패의 열쇠가 된다.

(1) 환자를 잘 움직이게 하기 위한 3가지 방법

가. 유도어를 잘 사용한다.

환자와의 접점은 우선 말이다.

① 동작이 충분한가를 잘 확인하고 충분하게 운동할 수 있을 때까지 움직이게 유도한다.

② 그 동작이 편한지 불편한지를 물어서 불편한 동작은 하지 않도록 끊임없이 신경을 쓴다.

③ 움직이면 모두 좋은 것이 아니고, 지나치게 힘이 들어간 동작, 무리한 동작, 쓸데없는 동작이 없도록 잘 관찰하면서 유도해 간다. 지나치게 움직이는 것에 대해서도 주의하고 적절한 정도에서 멈추게 하는 것도 중요하다.

나. 저항을 잘 사용한다.

① 이 경우의 저항이라는 것은 운동을 저지하는 것이 아니라 충실한 동작을 할 수 있게 하기 위한 보조가 되는 저항이다. 예를 들면 저항이 없으면 아파서 할 수 없었던 동작이 저항이 있으므로 해서 편하게 할 수 있는 경우도 있다.

② 부담되지 않는 동작을 이끌어내는, 저항 가능한 움직임을 이용해서 이것에

저항을 걸면, 저항에 대항하는 동작이 유도된다. 그리고, 목적부위에 도달하는 동작을 유도하면 한층 더 효과가 상승된다.

③ 저항은 환자의 동작보다 강해서는 안 된다. 동작을 크게 할 수 있으면 연동이 잘된다. 어떤 강한 움직임이라도, 극한에서는 제로에 가깝게 가기 때문에 이 최후의 부분에서는 약하게 저항을 걸면 환자는 큰 동작이 되고 몸 전체로 움직인다. 힘겨루기를 하는 것이 아니므로 자신도 피곤하지 않으면서 환자도 피곤하지 않다.

다. 적절한 탈력(힘을 뺌)의 요령

단지 움직임만으로는 효과가 없기 때문에 연동법에서는 잘 연동시켜서 “후”하고 숨을 토하면서 탈력시키는 것이 중요하다.

① 한계까지 움직이면 약간 저항을 세게 하여 3초 정도 연동시키는 사이를 두고 “후”하고 숨을 토하면서 탈력시킨다.

“3초 둔다”라고 하는 것은 연동시키는 시간을 두는 것이다. 너무 짧으면 연동이 불충분하고 너무 길면 피로해지기 때문에 3초 정도가 적당하고 2~3회를 반복한다.

기분 좋은 움직임이라면 적절히 한다. “후-”하고 숨을 내뱉는 것은 입에서 숨을 내쉴 때 근육이 이완하기 때문이고, 천천히 “후웃”하는 것이 아니고 기지개를 한 후와 같이 “후-”하고 탈력하는 것이 요령이다.

② 탈력하면 바로 움직이지 않고 한 번 더 호흡을 하고 나서 움직인다.

이 사이가 중요하다. 이때에 근방추반사가 일어나고, 이는 중추신경을 거쳐서 전달되지만 신경의 전달속도는 전기정도의 속도는 아니고, 시냅스를 하나씩 경유해서 달리기 때문에 한번 호흡 그 이상의 사이를 두는 것이 효과가 크다. 탈력 후에 잠시 기분 좋은 시간이 있으니까 이것을 체험시켜주면 좋다. 이것을 2~3회 반복한다. 너무 많이 하면 피곤해지기 때문에, 이정도만 하고 아직 충분하지 않을 때는 잠시 있다가 다시 행한다.

근육이 연속 작동시키는 것보다 휴식시간을 두고 움직이는 쪽이 피곤하지 않아서 좋다. 탈력한 후의 상쾌함은 마치 하품을 했을 때처럼 전신이 릴렉스한 느낌, 이 기분 좋은 시간이, 긴장을 푸는 생리적 회복이 일어나고 있는 시간이다.

이 사이에 움직이지 않고 쉬는 쪽이 효과가 크다. 이 순간을 충분히 취해서 최소한으로 움직이는 것이 분주히 몇 번이나 하는 것보다 훨씬 효과가 있다.

참고 [근방추반사]

> 근육에는 지각신경의 말단부분이 있는데, 근육이 긴장하면 먼저 이 부분이 자극을 받고 이에 대하여 기계적으로 일어나는 신체의 국소적인 반응을 근방추반사라고 한다. 이는 근육이 지나치게 늘어나는 것을 예방하여 근육의 긴장성 조절, 자세조절, 신체의 평형조절에 중요한 역할을 하는 것이다.

(2) 연동요법 주의사항

연동요법은 스스로 행하는 운동요법이므로 다른 어떤 치료법보다 매우 안전하지만, 다음의 경우는 가급적 행하지 않는다.

① 심한 골다공증 환자

② 심한 퇴행성 척추관절증

③ 확산성 염증질환

④ 골절 후 인체 내 이물질(핀, 플레이트, 와이어 등)로 고정하여 극심한 통증이 있는 경우

⑤ 급성기의 외적, 내적 손상 시

⑥ 움직임이 불편한 고령자나 임산부, 전신쇠약증 환자

⑦ 관절변형이 극심하여 의학적인 치료를 필요로 하는 경우

2 연동요법이란 어떤 것인가?

「치료는 타인의 힘에 의한 행위이고, 환자의 몸은 이것을 받아들여서 자기 회복 기능을 항진시킨다.」라고 하는 것이 질환에 대한 처방의 주류였지만, 스스로 움직이는 연동요법의 경우는 완전히 자연 치유행위이다.
인체의 각 근육은 서로 연관되어 움직이며, 이를 통하여 척추와 근육의 균형을 조정하는 연동요법은 바르게 동작법을 하면 자신이 움직이므로 무리가 없고, 아프고 괴로운 등 몸의 경고 반응이 나오는 움직임은 피해서 몸이 요구하는 기분 좋은 동작에 따라서 행하면 바로 효과가 나타난다. 아울러 특징적인 차이점은 연동의 효과이다.

(1) 손이 닿지 않는 곳이라도 조작할 수 있다.

골격의 안쪽의 근, 중층근의 아래쪽, 내심부에 이르는 근 등은 지압, 마사지로는 처리할 수 없지만 연동요법에서는 간단히 연동처리 할 수 있다.

(2) 아픔, 불쾌감이 없다.

연동요법에서는 이상이 있는 근육은 사용하지 않기 때문에 나쁜 동작이 나쁜 연동을 일으키는 경우도 없고, 후에 나빠진다거나 이상하게 피곤해진다거나 하는 것이 없다.

(3) 광범위하게 효과가 나타난다.

연동요법은 어디를 치료한다고 하는 한정이 없다. 연동하는 곳 전부에 효과가 미치기 때문에 때로는 의외인 곳에 나타는 경우도 있다. 약물도, 기계도 사용하지 않지만 이보다 오히려 더 큰 효과를 나타내는 경우가 많다.

(4) 효과가 빠르다.

직접 운동기계통에 작용하고, 아울러 관련부 전체에 미치기 때문에 바로 효과를 알 수 있다.

(5) 근원적인 치유가 가능하다.

근력을 강화시키는 연동기공과 병행하므로서 근원적인 치유가 가능하다.

3 동작분석과 연동방법

연동요법은 운동기계통의 이상에 대단히 효과가 있다. 운동기계통의 이상이란 지지조직으로서의 골격 자체에 이상이 있는 경우를 제외한, 척추와 근육, 신경계의 이상으로 관절을 움직이는 근육의 이상이라고도 할 수 있다.

동작불량[예 허리, 가슴, 등, 목, 어깨, 팔뚝의 이상, 수족이 아픈 등 동작(정지도 동작의 하나다)]에 관여하는 근육의 긴장, 압박에 의한 기능부전, 동작에 의한 통증을 일으킬 때 행한다.

어떤 동작이 하기 힘든가는 그때 관여하는 근육의 이상긴장에 의한 것으로, 어디가 나쁜가 하는 것은 동작분석(동작진단이라고도 한다)을 해서 판단한다.

참고 [근육이 주로 가능한 기능]

- 수축 : 근육에 긴장 혹은 결림이 있으면 그만큼 수축력이 감쇄되고, 동작제한으로 나타난다. 예를 들면, 10 만큼(수축한다)의 힘이 있는 근육에 3의 긴장이 있으면 남은 7밖에 힘이 되지 않는 것이다.

• 이완 : 수축하는 힘은 있어도 이완하는 쪽이 충분하지 않으면 동작을 방해한다. 이러한 상태는 촉진해도 어느 정도는 알 수 있지만 정확하게는 동작분석이 필요하다.

(1) 동작분석(동작진료)

어떠한 동작제한이 있는가?
예를 들면 전후굴, 좌우측굴, 좌우회선, 압박과 견인의 4종 8동작에 관해서 편한 움직임, 불편한 움직임을 체크한다.

① 편한 동작이란, 피로해 있는 근육이 요구하는 자극(동작), 자연치유에 따른 자극. 즉, 나빠진 근육이 이완하는 동작이다.
② 불편한 동작이란 피로한 근육에다가 부하를 더하기 때문에 경고를 동반하는 행해서는 안 되는 동작이다.

동작진료의 방법은 3가지 종류가 있다.

① 스스로 움직여서 편안한지 불편한지를 진단한다. 앞서 말한 연동의 움직임이 어떤지도 포함된다.
② 타력으로 움직여서 편안한지 불편한지를 진단한다.
③ 스스로의 움직임에 가볍게 저항을 주었을 때 편한지, 불편한지를 진단한다.

이 중에 ①, ③이 중요하다. 왜냐하면 그대로 연동요법의 조작에 연결되기 때문이다. 동작 진단을 해보아 편안하고 유효한 움직임이 발견되면 다음의 연동방법을 행한다.

(2) 연동방법

① 가벼운 저항을 주어서 불편한 방향으로부터 편한 방향으로 지나치게 강하지 않게 약한 힘으로 기분 좋을 정도로 움직인다.
② 최대한 움직이게 해서 아직 움직일 수 있습니까? 될 수 있으면 더 움직인다는

마음으로 3초 정도 연동(저항하는 방향으로 움직이게 한다).

③ "후~"하고 숨을 내쉬면서 전신에 힘을 뺀다.

④ 2호흡 이상 정도의 편안한 간격으로 다음 동작으로 이동한다.

(3) 특정부위 동작과의 연관성

신체는 전신이 상관성을 갖고 동작을 하기 때문에 어딘가에서 어딘가로 연동하여, 동작제한이 일어나기도 하고, 해제되기도 하는 경우가 있다. 또 특히, 어딘가에 이상이 있으면 어느 곳의 움직임에 제약이 일어나는 미묘한 관계가 있기 때문에 몇 개의 예를 들어본다.

가. 목과 상체를 좌우로 돌린다.

목과 허리의 상태가 나쁘고, 복부의 긴장이 있거나 내퇴부의 근육에 긴장이 있으면 이 동작에서 좌우 불균형이 된다. 이때는 악력, 완력, 배근력, 복근력 등도 저하하고, 전신적인 부조화를 오게 한다.

나. 손가락의 열림(Finger Scale로 진단)

허리가 아플 때에는 목과 어깨의 장애를 수반하는 경우가 있다. 자세가 나쁠 때에는 다섯 손가락의 열리는 각도(계지각 : Finger Scale로 진단)가 저하된다. 다섯 손가락을 펴서 엄지손가락부터 새끼손가락까지의 각도가 개인차는 있겠지만 일반적으로 130도에서 150도 정도가 보통이며, 이 각도에서 저하했던 것이 회복되었다면 몸의 나쁜 상태가 해소되었다는 것으로 판단된다.

인체는 전신이 연관성을 가지고 있으므로 발가락으로부터 허리, 목 부위까지 연동되고 경추 신경의 지배를 받는 손가락의 동작에 까지 영향을 미친다. 후술 하겠지만 경추부에는 만지지 않고 허리부터 조정을 한다면 발가락의 움직임부터 연동하여 계지각이 커진다. 두 사람이 손바닥을 맞추어서 비교해보아도 좋지만 아래 그림 3-1과 같이 Finger Scale 만들어 새끼손가락을 기준으로 하여 엄지손가락까지의 각도 변화를 비교하는 것도 좋다.

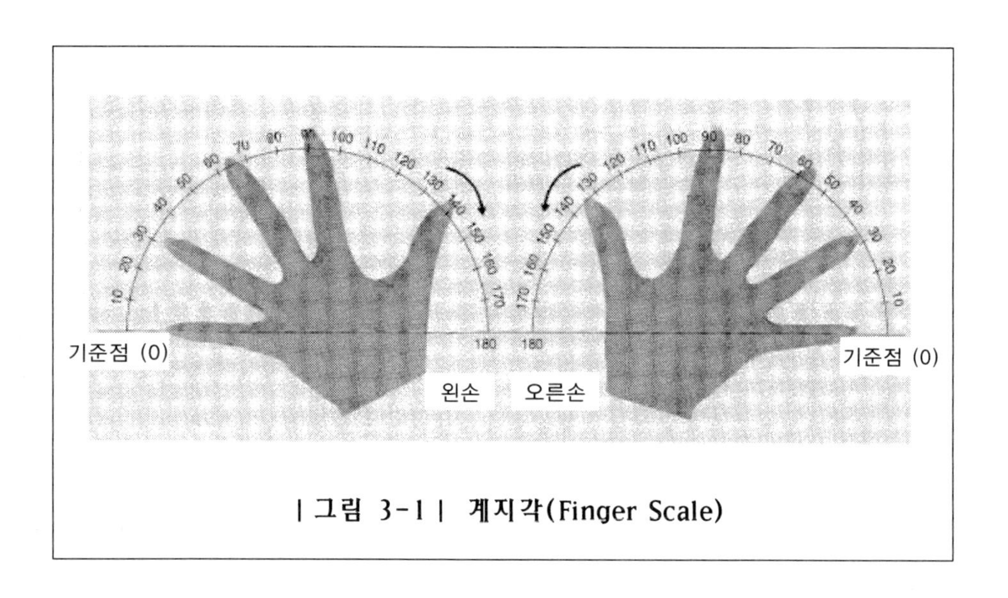

| 그림 3-1 | 계지각(Finger Scale)

다. 치아의 교정

치아의 교정이 나쁘면 악력, 근력이 저하한다. 손가락의 편 각도도 저하해 있기 때문에 치아를 교정하면 근력이 향상하고, 관절의 가동범위도 크게 된다.

4 연동관계 기본 이론

다른 치료법에 없는 연동법의 특징은 연동을 잘 활용하는 것이다. 인간의 몸은 일부가 움직이면 다른 부분도 움직이게 된다. 예를 들면, 소아마비나 중풍의 후유증인 사람은 수족을 움직이는데도 전신을 사용한다. 건강한 사람은 신경, 근육의 기능이 정상이기 때문에 별로 밖에서는 모를 뿐 실제는 전신이 움직이고 있는 것이다. 즉, 동작에는 반드시 연동이 있는 것이다. 동작과 근육의 움직임을 보면, 확실한 연동이 일어나게 하는 것은 동작이 극한에 왔을 때, 동작에 약한 저항이 있을 때 등이다.

4-1 다음에 몇 개 연동의 예를 들어본다.

(1) 발끝을 바깥쪽으로 외번시키는 움직임에서의 연동

바로 누워 발목을 새끼발가락 쪽으로 돌리면 그림 4-1의 (a)와 같이 움직임이 전해지고, 머리까지 화살표 방향으로 움직이게 된다. 무릎이 아프고 서서 앞으로 구부릴 수 없는 경우 대퇴후부 대퇴 이두근을 이완시키면 편하게 된다. 이때 이 동작을 사용한다. 또 거꾸로 대퇴 사두근의 긴장은 위의 움직임을 거꾸로 결국 그림 4-1의 (b)와 같이 발끝을 안쪽으로 돌려 이완한다.

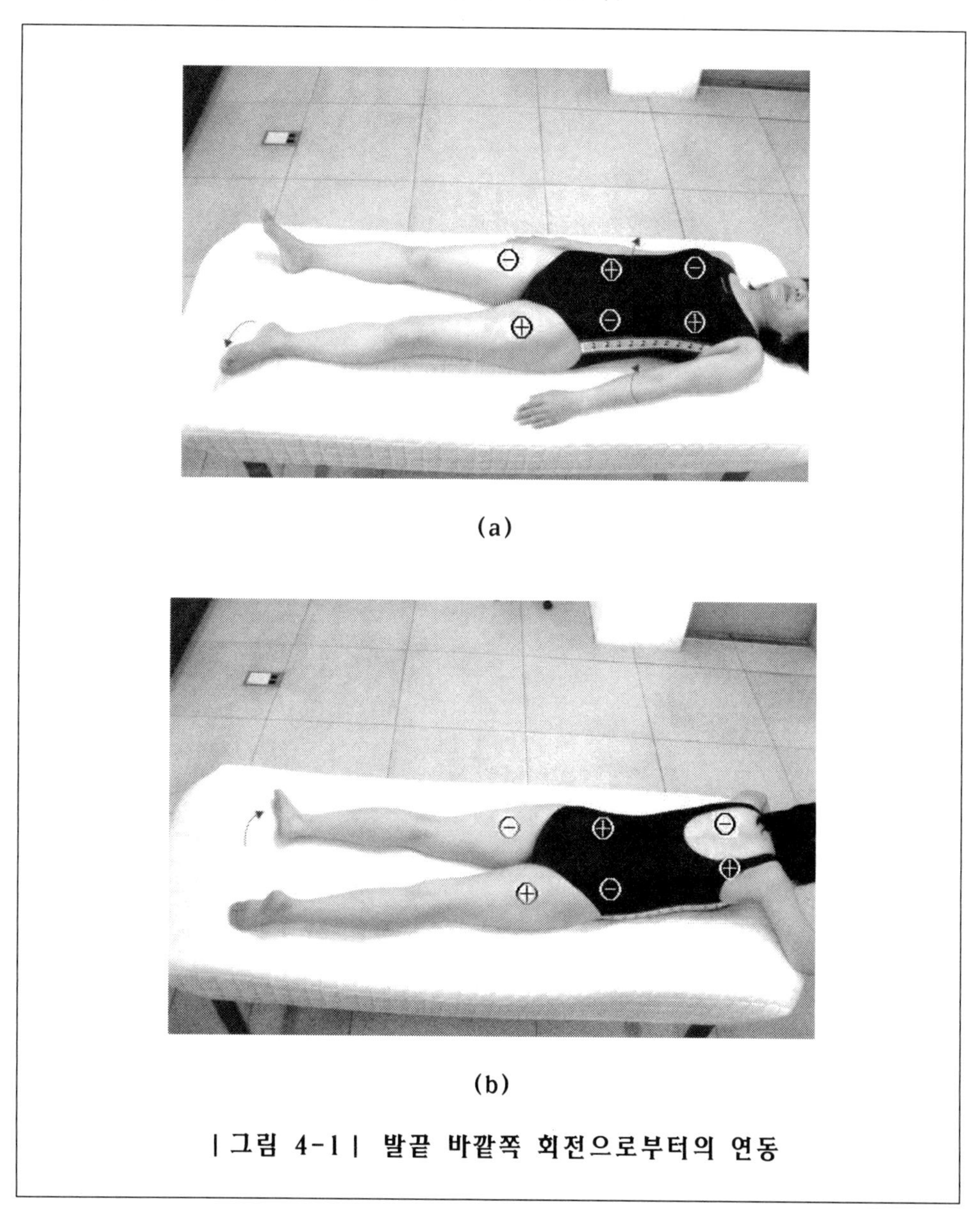

(a)

(b)

| 그림 4-1 | 발끝 바깥쪽 회전으로부터의 연동

이와 같이 대퇴의 전부와 후부는 길항관계에 있다.

(2) 발끝을 안쪽으로 내번시키는 움직임에서의 연동

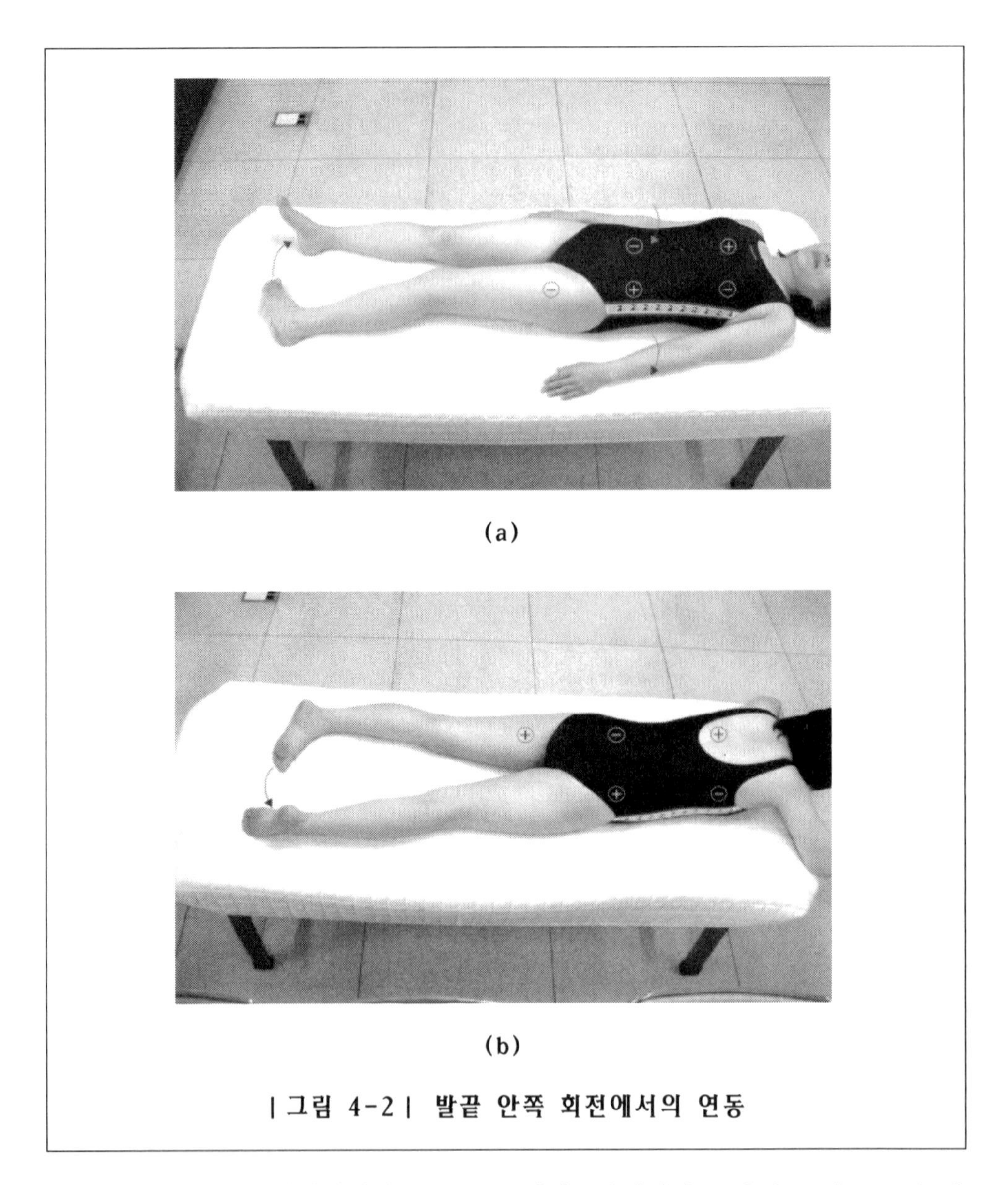

(a)

(b)

| 그림 4-2 | 발끝 안쪽 회전에서의 연동

바로 누워서 발끝을 엄지발가락 쪽으로 돌린다. 머리까지 동작이 그림 4-1과 거꾸로 된다. 단지 자세가 바뀌고 체중을 두는 방법이 변화하면 조금 바뀌는 경우도 있다. 다리의 혹사, 그 외의 대퇴부(대퇴 사두근)가 굳게 되었을 때 이 움직임을 이용하면 편하게 풀어진다.

(3) 무릎, 다리의 움직임에서 허리로 연동

의자에 허리를 걸치고 양발을 허리의 폭만큼 간격을 두고 무릎을 직각으로 세운 자세에서 무릎에 가볍게 저항을 걸어서 발가락 쪽으로 누르면서 발뒤꿈치를 든다. 다음에 든 발뒤꿈치에 안쪽에서 바깥쪽에다 저항을 건다. 아울러 크게 전신으로 움직이게 되면 같은 쪽의 장골익이 앞으로 나온다(허리가 회선). 이때의 무릎의 움직임, 발꿈치의 움직임 모두가 같은 쪽의 대요근의 이완작용과 연관이 되어 있다.

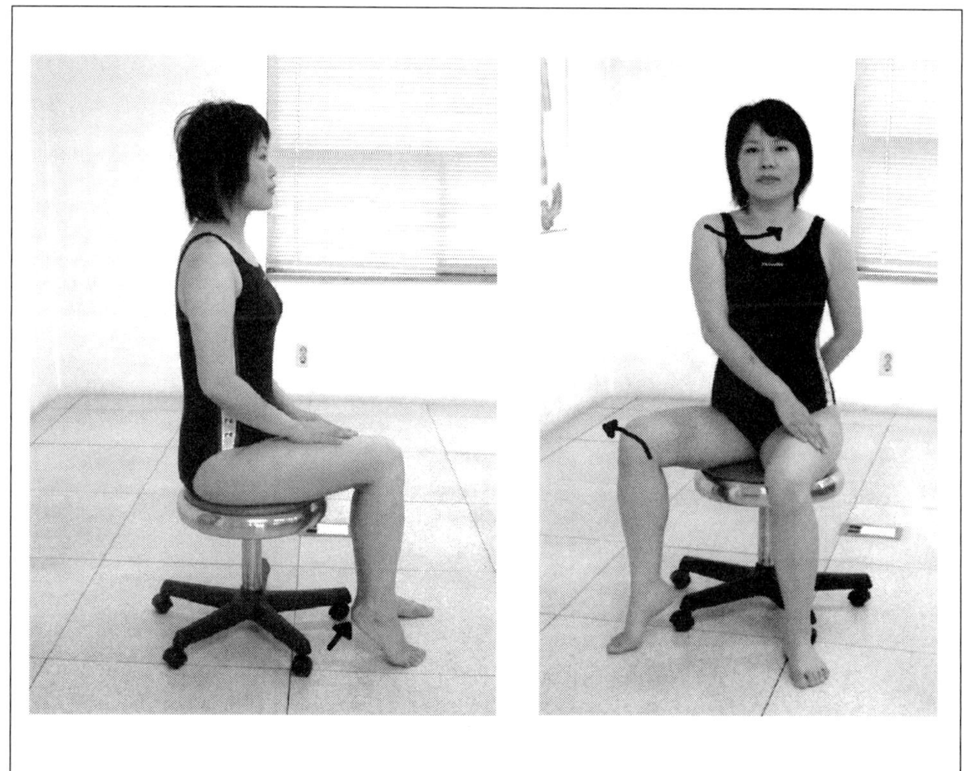

| 그림 4-3 | 무릎, 다리의 움직임에서 허리로 연동

주의! 이때 상체를 의식해서 너무 크게 비틀면 외복사근, 내복사근, 대퇴부의 근이 긴장해서 장골이 움직이기 어렵게 된다. 이 움직임은 더욱이 요배부, 경부에서 위로 혹은 경부에서 어깨, 팔꿈치, 손가락과 전신으로 움직이게 되어서 멀리까지 연동하여 여러 가지 이상의 해소에

도움이 된다. 허리가 정돈되면 요추신경이 영향을 미치는 대퇴부, 무릎, 발까지의 장애가 개선되는 등 광범위한 효과가 나타난다. 실제로 위에서부터 아래에 이르기 까지 광범위하게 연동해서 전신이 정돈되므로 충분히 움직여서 몸의 구석구석까지 연동시키면 어디를 치료한다고 하는, 국소에 얽매이지 않고 모두 해결할 수 있다.

(4) 바로 누워서, 무릎을 세운 자세, 무릎을 옆으로 눕히는 움직임에서의 연동

바로 누워서 발꿈치를 무릎이 있는 위치에 둔 1/2 무릎세운 자세(무릎이 있는 위치에 발이 온다)로 양손을 몸에 따라 놓는다. 무릎을 좌우로 기분 좋은 쪽으로 눕히고, 무릎이 눕혀지는 쪽의 팔은 어깨가 올라가듯이 안쪽으로 돌리고 반대쪽의 팔은 어깨가 내려가듯이 바깥쪽으로 돌려서 어깨를 바닥에 눌러 붙이듯이 한다(좌우로 시험해 보아 기분 좋은 쪽을 행한다). 게다가 발끝으로 바닥을 대고 발꿈치를 들어 올리듯이 하면 전신이 크게 비틀린다. 이렇게 전신으로 움직이면 움직일수록 동작이 커지고 몸의 구석구석까지 연동된다. 어딘가에(운동기 계통의) 이상이 있을 때 국소만을 치료하려 노력해도 좀처럼 잘 되지 않는 경우가 많다. 그것은 관련부에 비틀림이 남아 있고 거기에서 휘드백 해 와서 이상이 재발하기 때문이다.

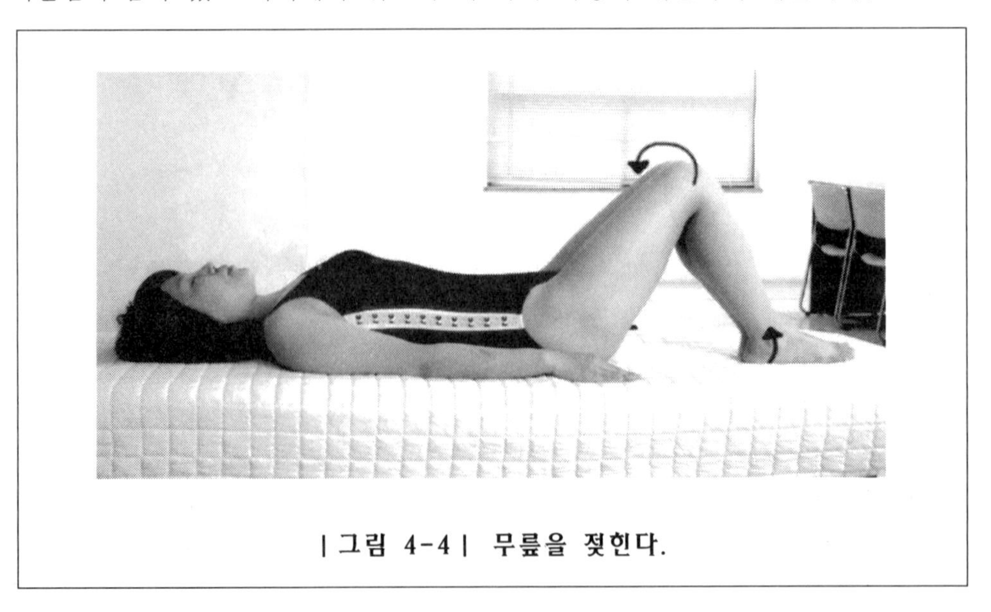

| 그림 4-4 | 무릎을 젖힌다.

「연동」을 잘 이용해서 몸의 비틀림이 남아 있지 않게 하는 것 이것이 가장 중요한 것으로 이것이 되어야 비로소 연동법이 광범위하게 미치는 효과를 알 수 있다. 보기를 흉내 내듯이 해 보고 솜저럼 효과가 실감되지 않을 때는 이 연동이 충분히 되지 않고 있는 경우가 많다.

(5) 의자에 앉은 자세에서(무릎을 굽힌 자세)에서의 발목과 발끝의 움직임에서 동작으로서 편안함, 불편함은 별로 잘 모를 수 있지만 그 부위로부터의 움직임이 환부에 연동하여 그 아픔이 없어지는 움직임은 무엇일까?

이 동작 분석에서 가장 유효한 연동의 기점 내지는 연동의 방법을 알 수 있다. 근육의 장력이 저하했을 때 어디가 어떻게 변할까? 예를 들면, 의자에 앉아서 발끝을 바닥에 붙이고 발꿈치를 든다. 여기에 따라서 보조 동작을 바꿔주면 연동의 도달 부위가 바뀐다.

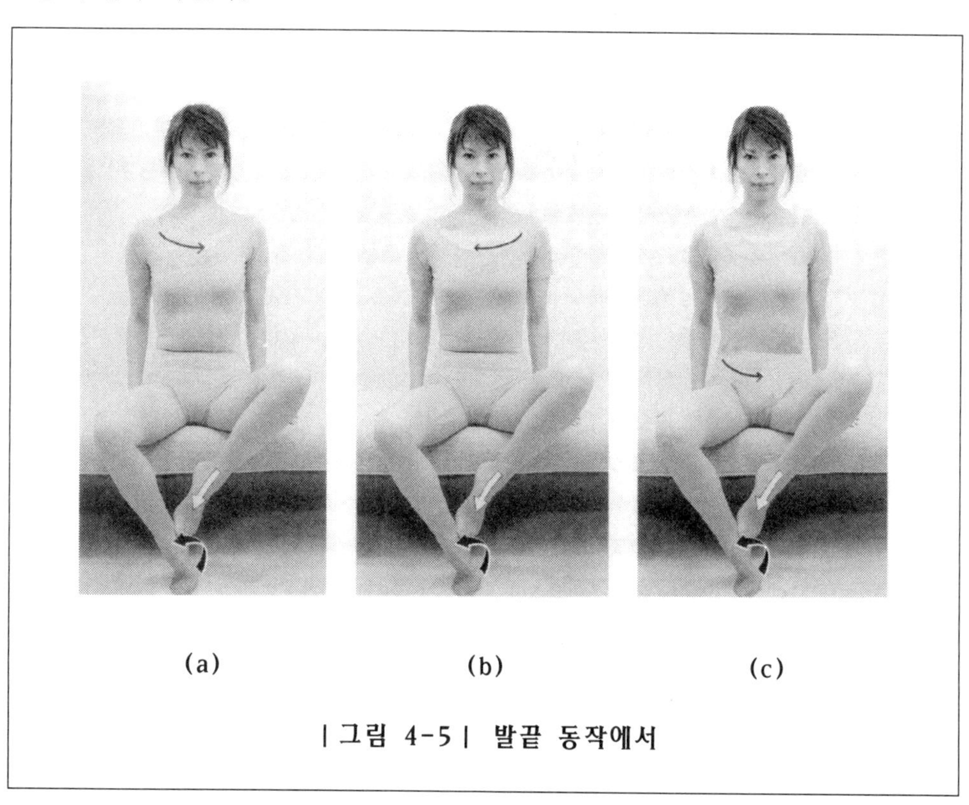

(a) (b) (c)

| 그림 4-5 | 발끝 동작에서

① 들어 올린 발꿈치의 역방향으로 어깨를 돌리고 발꿈치 쪽 안쪽 밑에 저항을 주면 허리 측면부의 중둔근, 소둔근이 이완된다(바깥회전+배굴).

② 들어 올린 발꿈치의 같은 쪽으로 어깨를 돌리고 발꿈치의 안쪽 아래 부근의 저항을 주면 내퇴상부(신근측)의 긴장이 해소된다(바깥회전+저굴).

③ 어깨는 움직이지 않고 발꿈치를 안쪽 밑으로 저항을 주며 들어 올린 발꿈치와 같은 쪽의 요골(장골)을 앞쪽으로 밀어내면 같은 쪽의 대요근이 이완된다.

①의 경우 목 등의 연동이 가능한 내퇴부 아래쪽 처치가 되지만, ②의 동작에서는 선장관절부와 장골의 외측으로 영향을 주는 내퇴부 위쪽 처치가 된다.
상체를 비틀 때 어느 쪽으로 비틀면 편안한지(질), 어느 쪽이 크게 움직이는지(양) 손가락이 크게 벌어지는가에 따라서(계지각) 연동관계를 진단할 수 있다.

(6) 연동관계를 보는 동작진료

동작의 편함, 불편함은 잘 모르지만 그 부위의 움직임이 환부에 연동하여 고통이 없어지는 동작이 되는가 어떤가, 이것으로 가장 유효한 연동법의 기점, 연동의 방법을 알 수 있다. 후에 많은 예가 나오지만 발끝을 안쪽 아래쪽으로 뻗고 발끝의 각도, 행하는 자세가 적정하면 깊은 곳에서 잡기 어려운 대요근의 이완운동에 연동하여 요통이나 좌골신경통이 없어진다.

(7) 연동관계를 보는 압진

본래의 압진은 굳음이 있는가 압통이 있는가를 진단하는 것이지만, 여기에서는 어떤 부분(압진법)을 일정한 각도로 압박하여 이상감(괴로움)이 없어지는가, 어떤가를 진단한다. 예를 들면, 발바닥 부분의 중족골경부 또는 측두부를 압박해보면 경부의 긴장이 없어지고, 어깨에서 손에 걸쳐서 편하게 된다.

MEMO

건강하게 일생을 보내는 것은 자연치유력을 방해하는 생활들을 바르게 고쳐서 편안한 방향으로 가는 것이다. 그리고 운동기 계통의 이상 예를 들면 움직여서 혹은 정지해 있을 때 아프고 나른하고 마비되고 움직임의 나쁨 등이 있는 경우 자신이 움직여서 자기를 고친다. 따라서 연동법이 자연치유의 기본이고 최선의 방법이 되는 것이다. 이런 몸을 고치는 동작에는 크게 구분해서 두 가지가 있다.

(1) 편안한 동작

피로(긴축)해 있는 근육을 호전시키는 자극(동작), 자연치유력에 따른 동작으로 나빠진 근육이 부드럽게 되는 동작이다. 불편한 동작은 「3의 (1) 동작분석」항에서 서술했듯이 피로해 있는 근육에 무리한 부하가 걸리기 때문에 경고성 동작이다. 반면에 편안한 동작에서는 굳어져가는 근육이 풀어진다. 촉진해보면 후-하고 이완하는 곳이 있다. 그 곳을 찾아내어 충분히 연동시켜서 탈력을 유도한다.

(2) 관련부위의 처리(연동의 기점)

이것은 오히려 국소가 긴장하는 경우가 많고, 언뜻 반대인 것 같지만, 장애의 근원이 되는 곳에 연동시키기 위해 필요한 동작으로 국소가 긴장해도 괴로움은 없고 오히려 쾌감이 있다. 예를 보자.

예 1 ▶▶▶ 어깨 결림을 없앤다.

앉은 자세에서 한쪽씩 어깨를 들어 올려보면 그림 5-1과 같이 어깨가 결리는 쪽이 무겁게 "연동법은 편안한 동작만을 한다"라고 말한다면 그림 5-1과 같이 편한 쪽의 어깨를 들게 되지만 관련 부위를 처리하는 동작이라면 연동의 기점이 되는 같은 쪽(어깨가 무거운 쪽)의 허리부터 그림 5-1과 같이 움직인다. 국소의 처리는 어깨가 결리는 곳에 한정되지만 연동을 잘 쓰기 때문에 위로 연동해서 어깨 결림만이 아니라, 머리가 무겁고 손가락이 아프고, 저리고, 손목, 팔꿈치의 통증, 요배부의 통증 등이 해소되고, 아래로 연동해서 무릎의 통증, 발 다리의 통증 등까지 광범위한 효과를 얻을 수 있다.

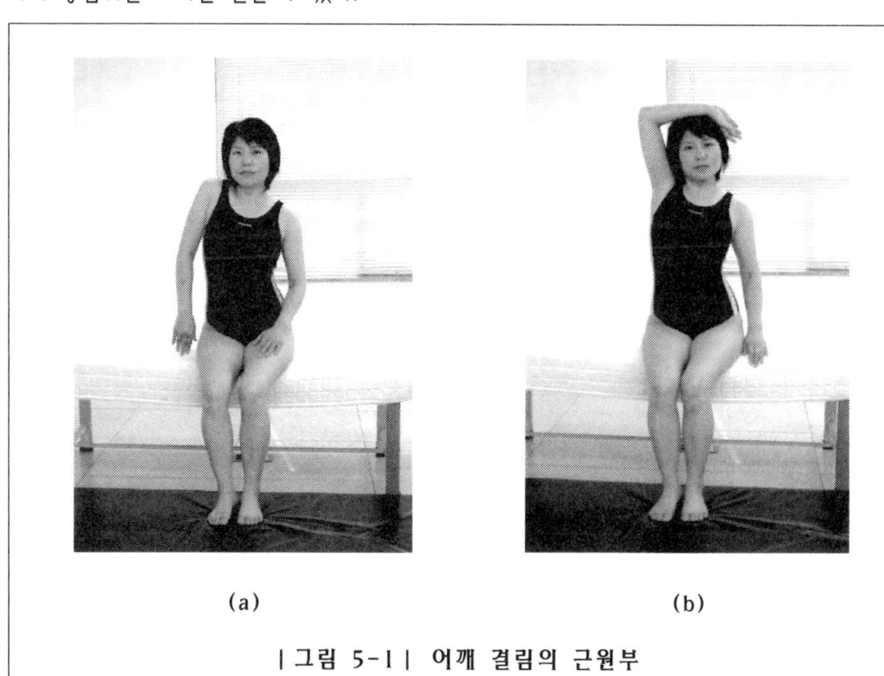

(a) (b)

| 그림 5-1 | 어깨 결림의 근원부

그림 5-1의 경우 허리는 활과 같이 옆으로 구부리고 팔을 올려 팔꿈치가 귀에 닿을 정도로 하고, 아울러 어깨가 약간 앞으로 나오도록 하면 요배부가 잘 늘어져서 전신적인 움직임이 된다. 연동은 전신적인 움직임이 한계까지 왔을 때부터 일어난다. 연동요법은 무리가 되지 않는 범위라면, 움직임이 크면 클수록 연동효과도 크게 된다. 또한 그림 5-1의 동작을 하고 있을 때는 결리는 어깨(승모근)는 더욱 긴장하지만 허리와 관계가 해소되기 때문에 어깨 결림은 해소된다.

예 2 ▶▶▶ 복근의 긴장

국소의 움직임이라면 그림 5-2와 같이 긴장 측의 팔을 머리 위쪽에 뻗으면서 바깥쪽으로 비튼다. 저항이 조금 걸리면, 복부는 상쾌하게 풀어지지만 조금 지나면 또 긴장이 온다. 관련부위로 부터의 동작은 그림 5-2와 같이 앞 팔뚝을 바깥으로 돌리면서 양 팔꿈치를 붙여서 어깨 쪽으로 당기면 등부위(늑추관절부)가 풀어지고, 늑간신경의 영향을 받는 복직근, 외복사근에도 변화가 일어난다. 어떤 경우도 탈력 후에는 복직근, 외복사근은 이완한다.
그림 5-2의 동작은 등부위(흉추신경) → 가슴부위(늑간신경) → 복직근 및 외복사근이라고 하는 연동에 의해 처리된다. 그림 5-2의 동작에 의해 등, 가슴도 상쾌하지만, 그림 5-2에 의해서는 복부에만 효과가 있다.

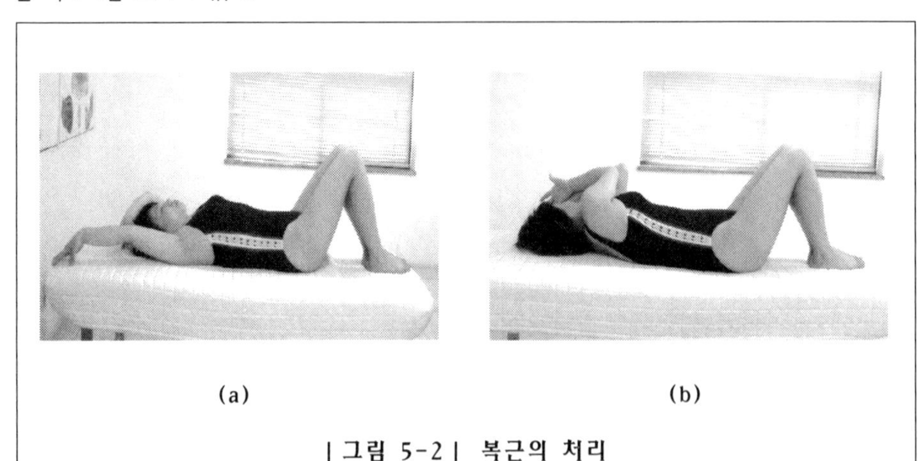

(a) (b)

| 그림 5-2 | 복근의 처리

흉부의 통증은 오히려 등부위, 늑추관절운동축을 넓히는 것에 의해 흉추배부의 근육에서 흉부로의 신경이 통하는 부분을 풀어주는 동작을 하면 좋고, 그림 5-2와 같이 양 발꿈치를 모아서 팔꿈치를 앞에서 어깨 쪽으로 등이 동그랗게 될 정도로 밀어낸다. 밀어낸 각도(제3부 실기편 참조)에 의해서 이완하는 곳이(흉배부의 상하위치) 달라짐으로 이상이 있는 부위에 도달하는 각도를 찾아낸다. 이 동작은 흉부가 긴장하는 동작이지만 괴로운 동작이 아니고 연동 후에 흉복부가 이완한다. 이것이 관련부위의 처리가 된다.

이와 같은 예는 앞으로의 항목에도 수시로 거론되어 있다. 몸의 변형은 국소의 불균형에서 일어나는 것이라도 변형이 연동하여 전신적인 것이 되어 있는 경우가 많기 때문에 국소의 조작이 아니고 전신에 연동하는 동작을 유도하는 것이 중요하다. 그리고 남의 힘에 의한 것보다는 자력의 동작이 더 크게 연동하고 한층 더 효과가 나타난다. 예를 들면, 허리를 중심으로 한 동작이 위에도 아래에도 연동하여 각 부분에 변형을 만든다. 거꾸로 허리를 고치면 그림 5-3과 같은 증상이 해소된다.

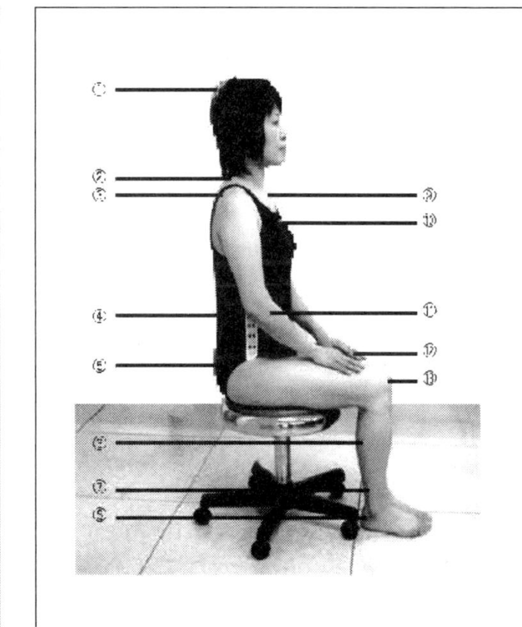

① 두통
② 어깨결림
③ 디스크
④ 요통
⑤ 엉덩이, 다리의이상
⑥ 히퇴부가아프다, 땡긴다
⑦ 발목통증, 염좌
⑧ 발바닥이땡기고저린다
⑨ 어깨통증(사십견)
⑩ 가슴
⑪ 복부
⑫ 손가락
⑬ 무릎

| 그림 5-3 | 허리에서의 관련 장애

6 인체의 변형을 가져오는 각종 자세

인체에는 누구에게나 자연치유력이라고 하는 힘을 갖고 있고 상처가 나도 비틀림이 생겨도 인체 항상성(Homeostasis)에 의하여 스스로 회복되는 경우가 많은데 건강한 사람의 신체에 왜 낫기 힘든 비틀림이 생기는 것일까? 외부의 힘에 의한 것 이외에 관해서 살펴보면 일상의 자세가 나쁜 것이 원인이 되는 경우가 많다. 자세는 계속해서 있는 것이고, 동작은 짧게 이어지는 것이다. 근육은 짧게 이어지는 수축보다 계속되는 수축 쪽이 더 피로해지기 쉽다. 쉬는 시간을 두고 수축(작업, 동작을 한다)시키는 쪽이 피로가 적은 것은 이미 여러분이 체험하고 있는 바와 같다. 체중을 한쪽에 싣고 서 있다던가, 허리를 구부려서 앉는 등의 나쁜 자세와 부자연스런 수면방법을 취하는 등 여러 가지가 있고, 분류해 보면 다음과 같다.

(1) 서다

서 있어도 발에 실리는 체중의 편재, 허리의 형태, 물건을 든다거나 등에 진다거나, 이것이 일시적인 것이라면 문제가 없지만 계속하는 경우에는 특유의 변형이 오게 된다.

가. 발의 어디에 체중이 실리는가?

체중이 실리는 쪽에 개인차가 있고, 발바닥의 체중분배에도 다음과 같은 종류들이 있고, 이때 연동하는 긴장이 상체까지 미친다.

① 엄지발가락은 가장 강한 발가락으로, 여기에 힘이 들어가면 자세가 가장 안정되기 때문에 다른 힘으로 커버하는 것에 비해 피로가 적어진다. 단, 앞이 가는 구두의 경우 모지외반(母趾外反)에 주의하여야 한다.

② 새끼발가락 쪽에 체중이 실리는 것은 서 있을 때의 중심의 변화(이동)에 약하다. 자세의 불안정을 초래하고, 특히 몸 쪽의 근육이 긴장한다. 구두 바닥이 닳은 것을 보면 확실히 알 수 있다.

③ 앞쪽에 체중이 실리면 발가락이 구부러지고, 족저근이 긴장하고, 게다가 비복근이나 넙치근(장딴지)이 긴장하고, 앞의 안쪽이나, 앞의 바깥쪽이나 체중분배에 의해 비복근의 안, 밖 및 넙치근이 긴장한다.

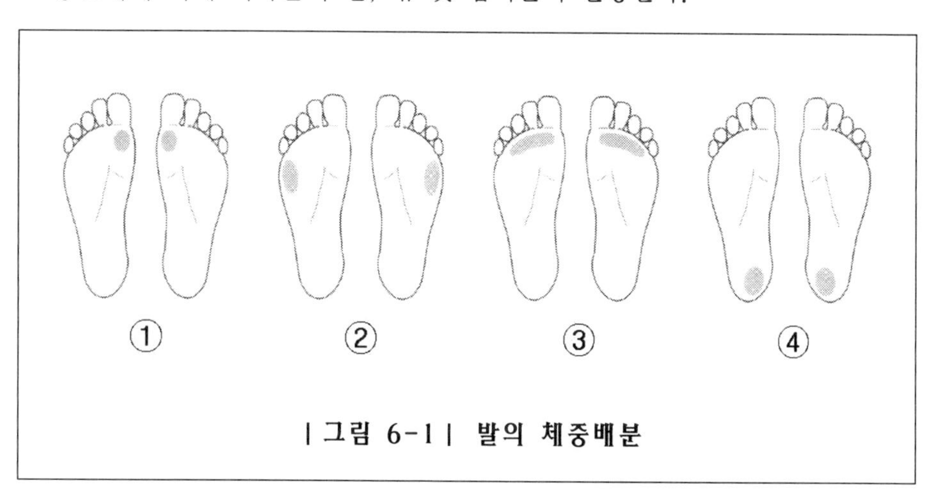

| 그림 6-1 | 발의 체중배분

④ 발뒤꿈치에 체중이 지나치게 실려도 비복근이 긴장한다. 어쨌든 서고 걷는 것은 다리부분의 항중력근군이 움직이는 것으로 전신에 연동하고 뇌에 각성 신호를 보내고 심신의 건전함을 유지하는데 도움이 된다.

체중의 균형에 주의해서 생활하면 좋다.

나. 허리의 자세형태에 관해

허리가 펴지지 않는 사람, 허리가 나쁜 사람(대요근, 외복사근 복직근등에 긴장이 있는 사람) 앞으로 기울어진 자세를 계속하고 있는 사람들은 허리나 무릎이 구부러지고 등이 휘게 된다. 노인들에게서 많이 보여 지는 자세로 등을 펴면 괴롭다. 이때 허리를 펴면(무릎도 편다) 등도 저절로 펴지게 된다. 허리를 펴는 자세에서는 오히려 등을 구부리는 쪽이 괴롭다. 무릎이 굽어지면 장딴지가 딱딱해지고 무릎을 펴면 장단지가 부드럽게 된다. 따라서, 자세가 나쁜 사람은 걸으면 다리가 이상하게 피곤하고, 다리를 질질 끄는 것 같이 된다. 또 비복근이 딱딱해지면 허리 어깨가 긴장하고 등도 굽게 되므로 어깨가 굳기 쉽고 끈기가 없어진다.

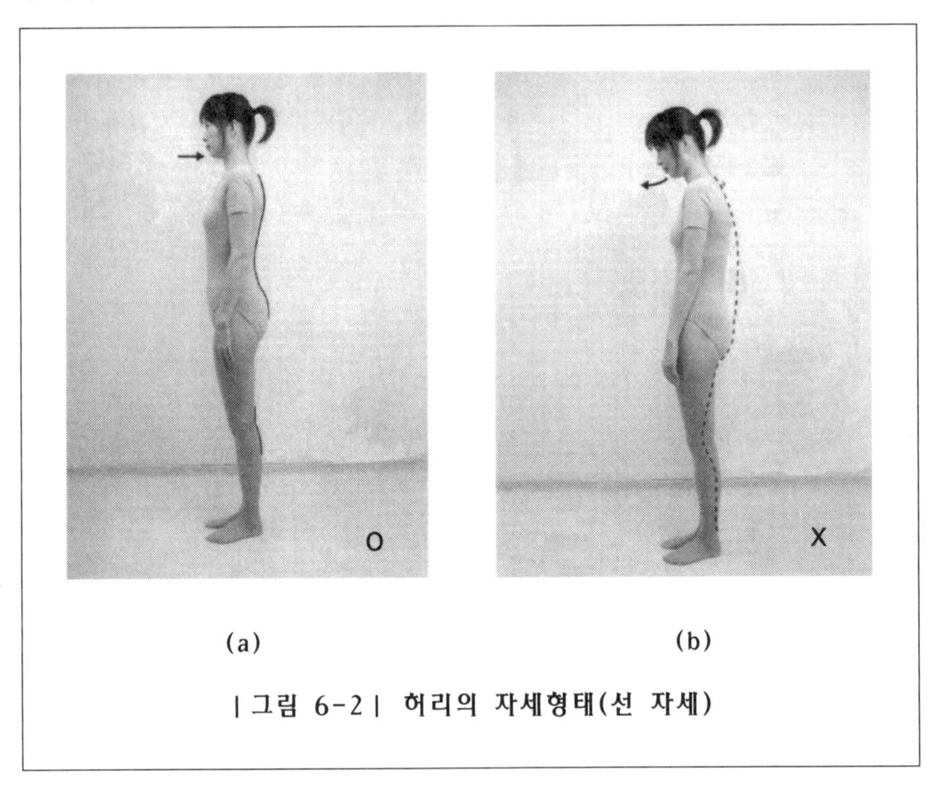

(a) (b)

| 그림 6-2 | 허리의 자세형태(선 자세)

다. 손에 물건을 든다.

양손에 물건을 들고 있을 때는 팔은 물론 요배부에 힘이 들어가기 때문에 요배부에서 어깨, 팔이 늘어지지, 한쪽 손에 물건을 든 경우는 요배부의 한쪽이 긴장하여 요통이나 좌골신경통 척추측만증 등의 원인이 된다. 또 좌골신경통(다리가 아픈 등)이 있는 사람은 아픈 곳을 고치려고 해도 좀처럼 낫지 않는다. 허리의 기초를 고치는 것이 중요하다. 평상시 아픈 쪽을 감싸려고 아프지 않은 쪽의 손에 물건을 드는 경우가 많지만 실제는 나쁜 쪽의 요배근이 긴장해서 보다 아픔이 더 해지게 된다. 오히려 약간 무거울 정도의 물건을 아픈 쪽의 손에 드는 것이 좋다.

(2) 앉다.

허리의 앉는 형태를 그림 6-3과 같은 것이지만 생리적 만곡을 유지하는 형태로써 좋지만 어쨌든 편안한 자세 그림 6-3의 형태가 되기 쉽다. 그림 6-3은 분명히 편안하지만 이 자세를 지탱하지 위해서 요추를 안쪽에서 지지하는 "대요근"이 긴축하고 요추를 변형시키고 요통, 좌골신경통, 어깨, 팔꿈치 장해 등을 일으키기도 한다.

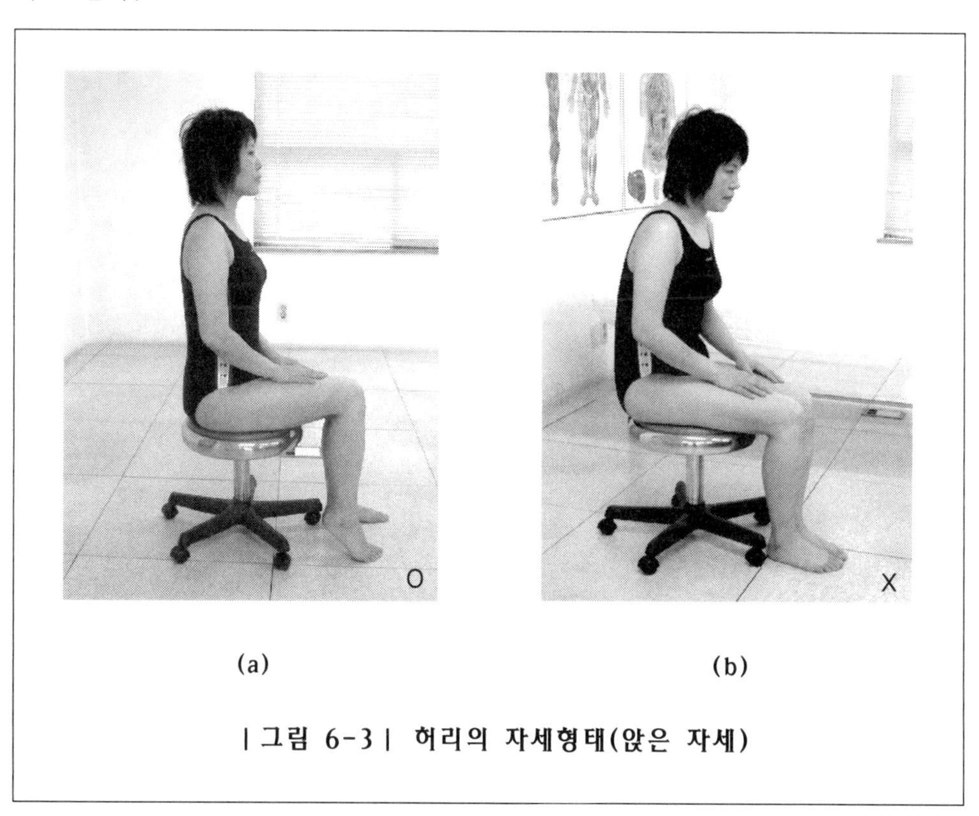

(a) (b)

| 그림 6-3 | 허리의 자세형태(앉은 자세)

앉는 자세 중에서도 의자에 앉는다, 정좌한다, 바른 참선 자세형(반가부좌)등은 좋지만 책상다리라든가, 다리를 정돈되지 않게 앉으면 허리가 둥글게 된다거나, 비틀린다거나, 측굴하기 때문에 허리에 변형을 만들고 이상을 일으킨다.

가. 자세가 나쁘면 어떤 영향이 나타나는가?

동작분석을 해서 대요근의 조정을 하고 허리의 이상이 없어진 상태에서 비교한다.

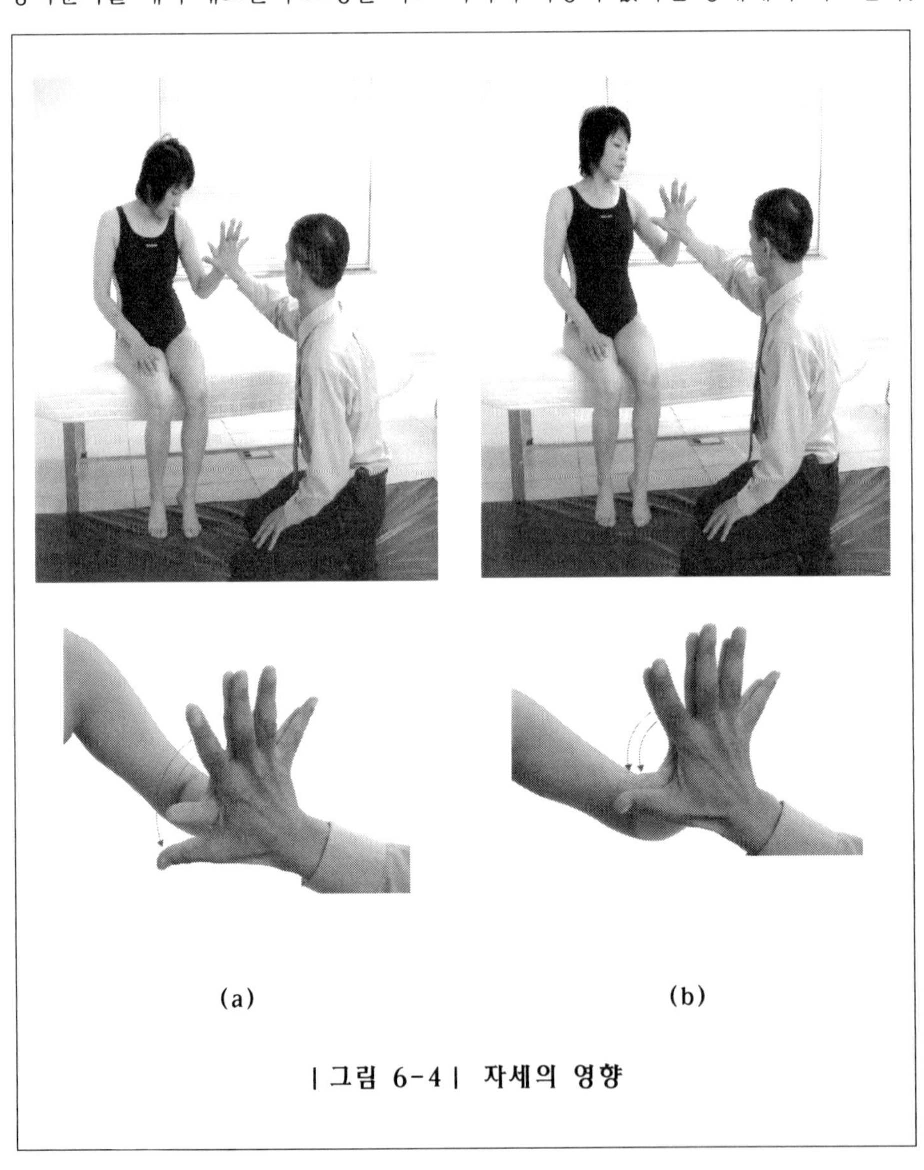

(a) (b)

| 그림 6-4 | 자세의 영향

① 허리를 둥글게 한 자세로 앉고 다섯 손가락을 쭉 펴고, 엄지손가락부터 새끼 손가락까지의 각도를 측정해 둔다.

② 허리를 젖혀지지 않을 정도로 펴고, 다시 한 번 손가락을 펴보면 더욱 잘 펴지게 된다. 다시 허리를 둥글게 해서 잠시 있다가, 그 자세에서 손가락이 펴지는 각도를 보면 또 나빠져 있다.

이와 같이 짧은 시간이라도 이만큼의 영향(대요근 → 요배부 → 경부 → 팔, 손)이 나타났다는 것이기 때문에 장시간에 걸치면 여러 부분에 변형이 "연동"하고 국소의 이상이 되어 나타난다.

(3) 엎드려 눕는다.

옛날은 누워서 책을 읽는다는 것은 행위가 좋지 안타라고 가르침을 받아왔기 때문에 그다지 없었지만 요즘은 침대에서도 전등이 켜지고 해서 누워서 책을 읽는 기회가 많아졌다. 그 때문인지 아이들도 허리가 아프고 다리가 아프고 어깨가 결리는 것이 많다. 이를 확인해 보면 누워서 책을 읽는 사람이 대부분으로 이것은 누구에게 있어서도 좋지 않다.

(a)

| 그림 6-5 | 엎드려서 눕는다. - (계속)

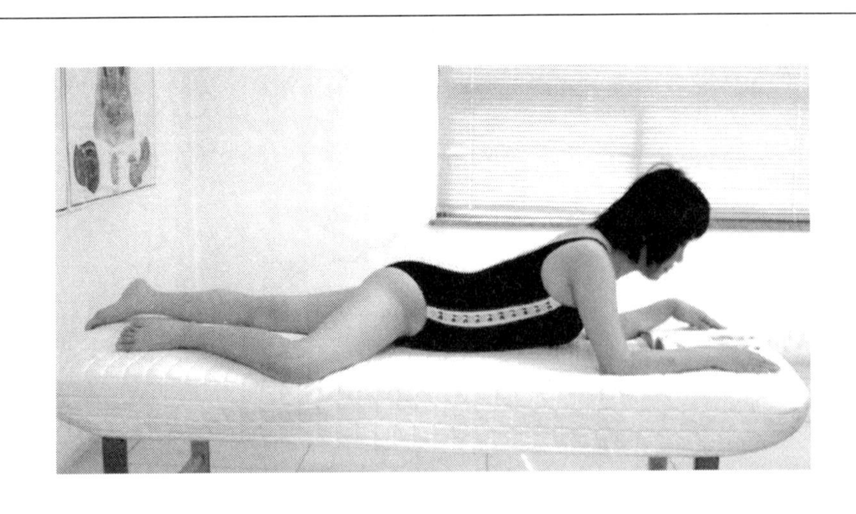

(b)

| 그림 6-5 | 엎드려서 눕는다.

엎드려 누운 자세에서 고개를 들면, 요배부의 긴장을 강하게 하는 것만이 아니고 허리를 이상하게 휘게 하기 때문에 허리, 대퇴를 강하게 침대(바닥)에 누르는 것이 된다. 이때 다리를 드는데 주로 움직이는 근육인 장요근(장골근, 대요근)도 긴장하고 동시에 요배부근육군의 긴장이 일어나고 요통의 원인이 되는 경우가 많다. 턱에 베개를 대고 경부의 힘을 뺀다던가 좌우 어느 쪽 인가의 다리를 조금 옆으로 벌리고 편안한 자세를 취하는 등의 연구를 하면 좋겠다.

(4) 바로 눕는다.

바로 누운 자세는 가장 편한 자세이지만 허리에 이상이 있는 사람은 대요근에 이상이 있는 것으로 고관절이 굴곡 하는 자세가 좋다.

가. 베개에 관해서

너무 높은 베개, 납작한 베개는 경추의 생리적 만곡이 유지되지 않고 이것이 장시간 계속되면 목이 고통스러워진다(피곤이 없어지지 않는다). 목이 피곤하면 어깨, 허리까지 영향을 미친다. 척추건강법에서는 이 만곡을 유지하는 베개를 권하고 있다. 베개가 마음에 들지 않을 때 이불 끝을 말아서 베개로 하면 정말 기분 좋게 잘 수 있지만 언젠가는 풀어지기 때문에 곤란하다. 좌우 어느 쪽인가의 무릎을 옆으로 벌리던가 어느 쪽인가를 위로 발끝을 꼬면 편하게 잘 수 있다.

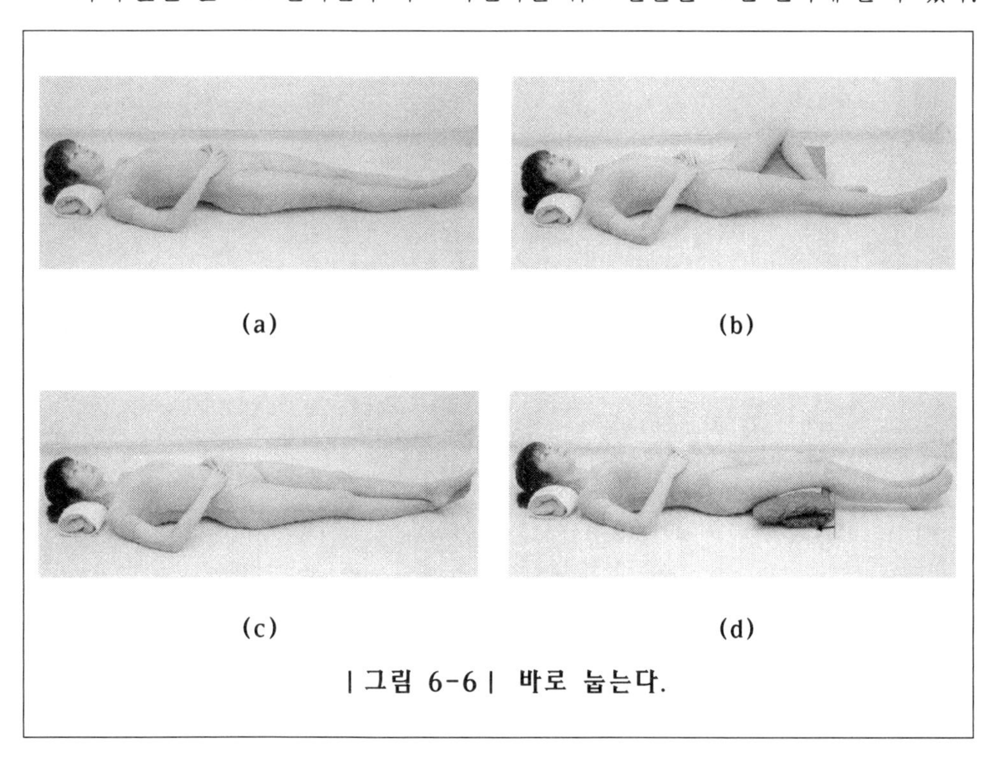

(a) (b) (c) (d)

| 그림 6-6 | 바로 눕는다.

나. 침대의 경도(딱딱함)

"침대는 딱딱한 것이 좋다"라던가 극단적인 얘기로는 "합판 위에서 자는 것이 좋다"라고 하는 사람도 있다. 지나치게 부드러운 것도 피곤하지만 적당한 정도의 부드러움도 있고 허리의 만곡을 그다지 흐트러지지 않게 하는 것 그리고 등 부위 전체로 평균적으로 부하를 배분할 수 있는 것이 이상적이다.

(5) 옆으로 눕는다.

옆으로 눕는 사람은 의외로 많다. 평상시는 그다지 문제가 없지만 요통이 있다거나 다리가 아픈 사람에는 이것은 나쁜 자세인 것이다. 자다가 몸을 뒤척일 때 허리가 아픈 것은 요추가 아래쪽으로 휘어지기 때문으로 위가 되는 쪽의 대요근이 긴장해서 반대측(아래측)의 요배부가 굳게 된다. 자고나서 허리, 다리가 아픈 사람은 아픈 쪽을 위쪽으로 하는 사람이 많다. 이때는 옆구리 아래에 작은 베개(얇은 방석을 두개 접어서 해도 좋다)를 끼워 넣어두면 좋다. 대요근에 부담이 되지 않기 때문에 편안하게 된다. 또, 옆으로 누운 자세일 때는 베개의 높이를 한쪽어깨 폭보다 약간 낮게 하고 자고 있는 머리가 곧게 되는 정도가 좋다. 이렇게 해서 편안한 자세를 고르는 것은 몸에 변형을 만들지 않고, 쾌적한 기상을 하기 위해서 중요한 것이다. 오래전부터 침대를 사용하고 있는 사람들은 침대가 바뀌면 쉽게 잠이 오지 않는다고 하는데, 이미 자기의 몸이 그 침대에 맞는 형태로 변형되어 익숙해지지 않은 자세로 자려면 잠이 오지 않는 것이다. 무릎을 가볍게 구부리고, 위의 무릎을 앞으로 내미는 자세도 허리에서 전신에 영향을 준다. 자다가 다리에 쥐가 자주 난다고 하는 경우가 있는데 이는 혈액순환이 나쁜 경우 외에 잠이 든 직후가 아니고 새벽쯤에 많다. 이것은 나쁜 자세가 계속되는 것에 의해 허리의 변형이 누적해서 극한에 도달했을 때에 일어나는 것이다.

각종의 자세는 허리, 목과 전신의 중심이 되는 부분의 긴장에 영향을 주기 때문에 전신적인 변형이 생기게 된다. 되도록 편안한 자세를 그리고 일정한 자세를 오랫동안 계속하지 않는 것이 중요하다. 어느 자세가 편안한 것인가는 앞에서 말한 바와 같이 손가락이 펴지는 각도의 변화로 체크할 수 있다.

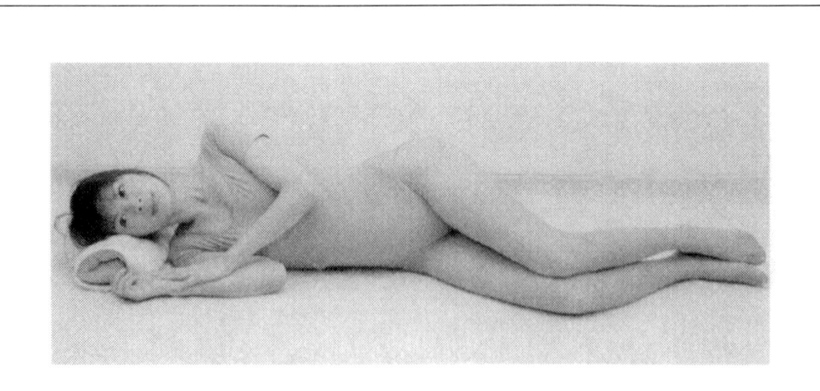

| 그림 6-7 | 양 무릎을 굽힌 자세

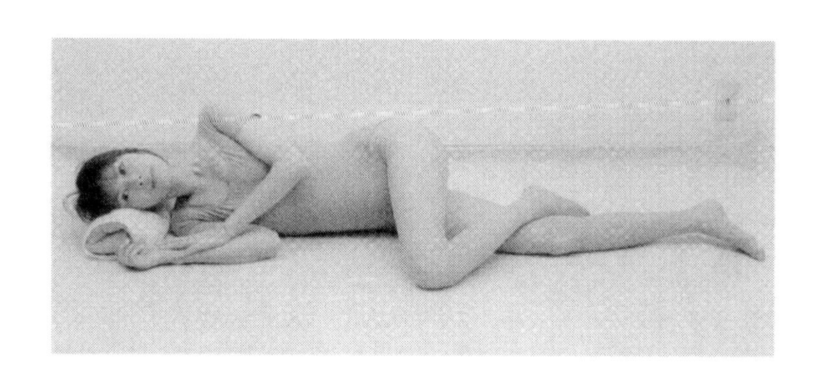

| 그림 6-8 | 한 쪽 무릎을 굽힌 자세

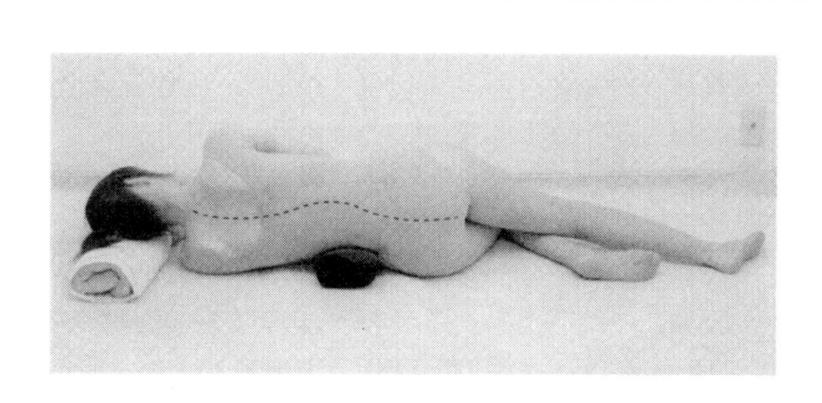

| 그림 6-9 | 허리에 방석을 접어 넣은 자세

Part 03

1. 1번 연동 : 복식호흡 연동
2. 2번 연동 : 발에서 장딴지 연동
3. 3번 연동 : 발바닥부 연동
4. 4번 연동 : 대퇴에서 척추(경배부 · 요선부) 연동
5. 5번 연동 : 선장관절부 연동
6. 6번 연동 : 요선부에서 상경부 연동
7. 7번 연동 : 대요근에서 상하로 연동
8. 8번 연동 : 등과 흉복부 연동
9. 9번 연동 : 요배부 연동
10. 훌륭한 연동요법을 위하여

실 기 편

[기초가 되는 연동기법]

어딘가에 통증이 온다면 우선 동작분석을 하고, 어떠한 동작제한이 있는가를 살펴본다. 그리고 어떤 연동법을 행하는가를 결정한다.
본서에서는 아래 그림에 나타나는 각 부분에 관해서

(1) 어떠한 부분일 때, 어느 부분을
(2) 어떠한 기본동작과 유도법
(3) 연동을 잘 유도하기 위한 요점 등에 관해서 설명하겠다.

연동요법의 모든 치료동작은 스스로 과도한 무리를 하지 않고, 저항하는 힘도 무리하게 가하지 않고, 신체가 원하는 편안한 동작을 하게 하여 준다.

바르게 누운 자세에서 복식호흡을 한다. 아랫배가 볼록해지도록 숨을 들이쉬었다가 멈추고, 다시 숨을 내쉰 상태에서 왼손이 아래로 가도록 양손을 겹쳐서 왼손의 모지구(엄지손가락 쪽 바닥의 볼록한 부분)나 혹은 양손의 2, 3, 4지 손끝을 모아서 중완, 수분, 기해, 관원의 경혈을 차례로 지그시 누르면서 시계 반대방향으로 돌리며 마사지 한다. 4~8회 정도 반복해서 실시하면 요통이 진정되고 내장반사가 일어난다. 중완은 명치와 배꼽(신궐)의 중앙에 위치하며 위경의 모혈이고 후천의 기를 생성하는 중심부가 된다. 수분은 배꼽 위 1촌에 있고 여기에서 청독을 가려 수액은 방광으로 찌꺼기는 대장으로 들어간다. 기해는 배꼽 아래 1촌 반이며 기의 변동이 모이는 생기지해(生氣之海)의 경혈이다. 관원은 배꼽 아래 3촌에 있고 소장경의 모혈이며 정(精)과 혈(血)을 저장하여 원기를 보호하는 중요한 경혈이다. 이러한 복식호흡 연동은 요통뿐 아니라 소화기와 비뇨생식기 계통에도 유효한 영향을 미치고 기혈순환을 촉진시킨다.

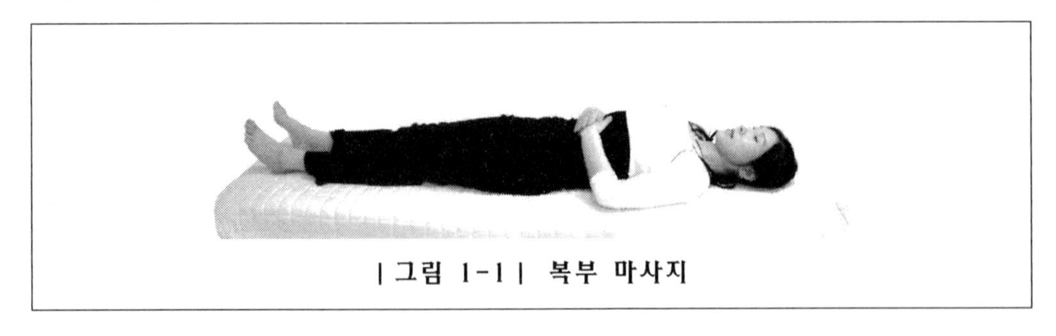

| 그림 1-1 | 복부 마사지

MEMO

족저근, 넙치근, 비복근, 아킬레스건, 무릎안쪽(발바닥에서 장딴지, 무릎안쪽까지) 발은 인류가 직립한 이래 체중을 지탱하는 중요한 부분으로 선 위치의 균형을 잡기 위해 족저근, 비복근을 시작으로 대퇴 안쪽에서 뒤쪽, 요배부와 전신의 근육에 연동하는 동작을 한다. 후에 '요통'항에서 서술하겠지만 '허리에 이상이 있으면 다리까지 이상이 온다'는 것이다.

우선 발부터 진단해본다. 족저근, 넙치근, 비복근(장딴지)를 이완시키고, 아울러 전신에 편한 동작을 전하기 위해, 발가락을 조작한다. 발 다리가 나른하고 허리가 아프고 어깨가 결리고 고혈압등인 사람은 여기가 굳어 있다.

(1) 발가락을 돌린다.

- 다리, 복부, 허리, 등, 어깨까지 연동(제2-1번 연동)
- 발이 찬사람, 이명증에도 효과가 있음.

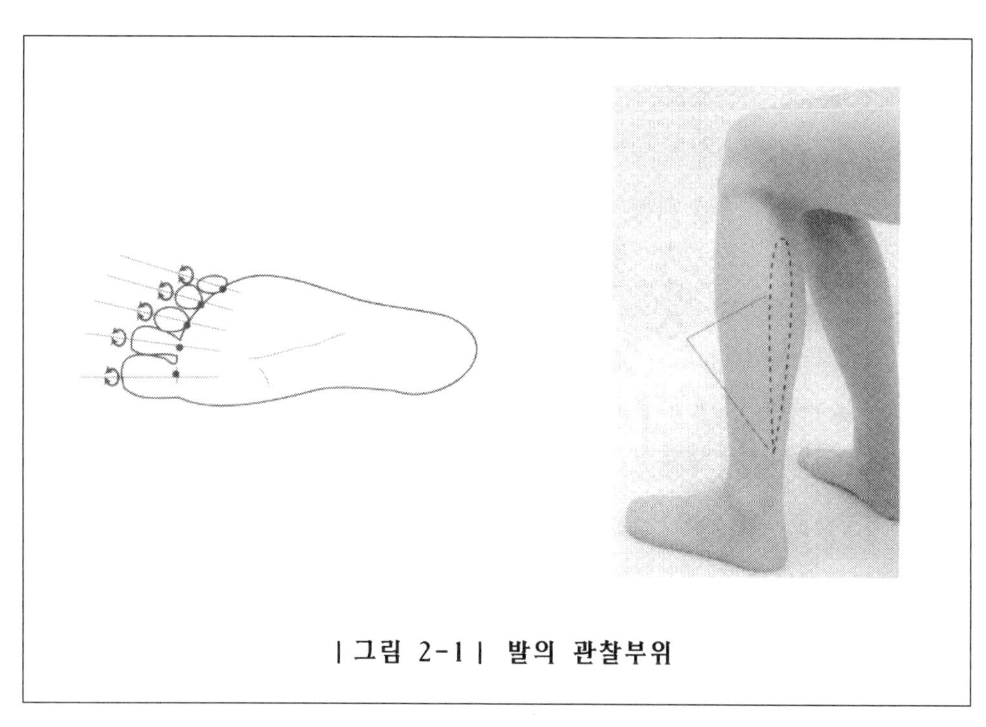

| 그림 2-1 | 발의 관찰부위

엄지발가락 쪽에 체중이 실리는 사람은 장모지굴근(발다닥)에서 비복부(장딴지)의 바깥쪽이, 또 두 번째 발가락~다섯 번째 발가락에 힘이 실리는 사람은 장지굴근(발바닥)에서 비복부의 안쪽이 긴장한다.
발가락에 힘이 들어가면 비복부가 긴장하고 허리 등 어깨도 연동하여 어깨가 결리고 머리가 아프게 된다. 반대로 발가락을 잘 움직이면 다리, 복부, 허리에서 등, 어깨까지 편하게 된다.
발가락의 동작법은 절대 불편한 쪽으로 하지 않고 저항 없이 부드럽게 돌아가는 쪽으로 가볍고 리드미컬하게 행한다.

가. 한쪽 발씩 발가락을 돌린다.

그림 2-2와 같이 한쪽 손으로 발가락 뿌리 부분을 누르고 다른 한 손은 발가락 안쪽의 기절골부로 옆에 검지 또는 중지의 둘째 마디를 직각으로 가볍게 대고 누르고 위에서 엄지를 더해서 부드럽게 잡고 천천히 크게 돌려서 상쾌한 쪽, 편한 쪽(우드드 돌아가는 쪽은 불편, 가볍게 도는 쪽은 기분이 좋다)에만 약 30회 돌린다. 무릎에 발목을 얹으면 안정되고 편하게 된다.

각각의 발가락은 반드시 같은 쪽으로 돌리는 것이 편안하다고는 단정 할 수는 없다. 불편한 동작, 부드럽지 않는 동작은 긴장이 있는 근육에 부하가 걸리기 때문에 해서는 안 되고 편안한 쪽만 행한다. 이것으로 발 안쪽(족저근), 장딴지(비복근, 넙치근)의 긴장이 없어져서 발이 가볍게 된다. 다리는 펴고 바로 누워서 행하는 쪽이 보다 효과가 있다. 발이 차가운 사람, 한 냉시에 발이 따뜻해 지지 않을 때 등 이것을 행하면 바로 따듯하게 된다.

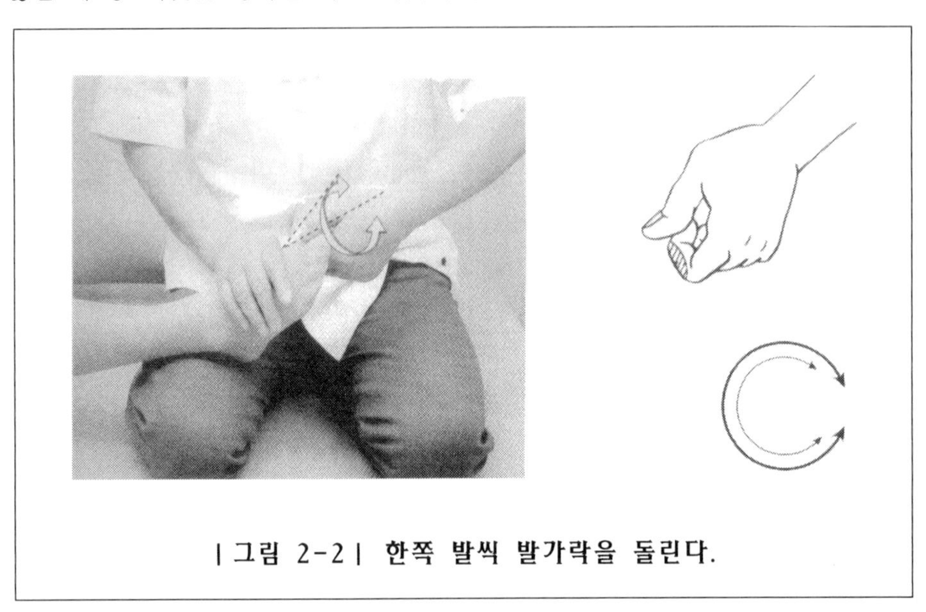

| 그림 2-2 | 한쪽 발씩 발가락을 돌린다.

이것으로 아직 발이 개운하지 않을 때는 거기에 '압박' 또는 '견인'을 더해서 편안한 동작법을 한다. 손의 무게를 올려서 누르는(압박) 느낌으로 돌린다든가 발가락 안쪽에 걸친 손가락으로 끄는(견인)느낌으로 돌린다든가 해서 어느 쪽이 기분 좋은가를 확인한다.

나. 양발의 발가락을 돌린다.

환자는 바로 누워서 발을 어깨넓이 만큼 벌리고 술자는 양발의 발가락을 돌려본다(그림 2-3 참조).

① 조작은 술자가 피곤하지 않은 자세로 행한다. 환자의 양발의 사이에 무릎을 꿇고 앉아서 어깨의 힘을 빼고 손목, 손가락의 힘을 빼고 환자의 발가락 사이에 팔의 무게를 실 듯이 하여 손을 두고 손목을 주물럭거리듯이 발가락을 기

분 좋은 쪽으로 돌린다. 손가락의 움직임이 강하면 손목이 굳게 되고 기분 좋은 동작법이 되지 않기 때문에 엄지손가락으로는 잡지 않고 더하는 정도로 한다. 이때도 엄지발가락과 다른 발가락의 상쾌한 동작은 같지 않을 때가 있다.

② 발가락 안쪽에 결림이 있고 압통(눌러서 아프다)이 있을 때는 특히 신중하게 행하여 긴장을 없앤다. 또 특히 상쾌한 발가락이 있으면 그것은 좋아하는 자극으로 받아들여지고 있기 때문에 신중하게 행해 준다.

③ 받는 측은 대퇴부 - 하복부 - 가슴 - 머리까지 거의 전신적으로 흔들리는 쾌감이 있고 이것이 멀리 전달되는 조작일수록 좋다. 편하지 않은 느낌이 있을 때는 바로 멈추고 반대방향으로 돌린다.

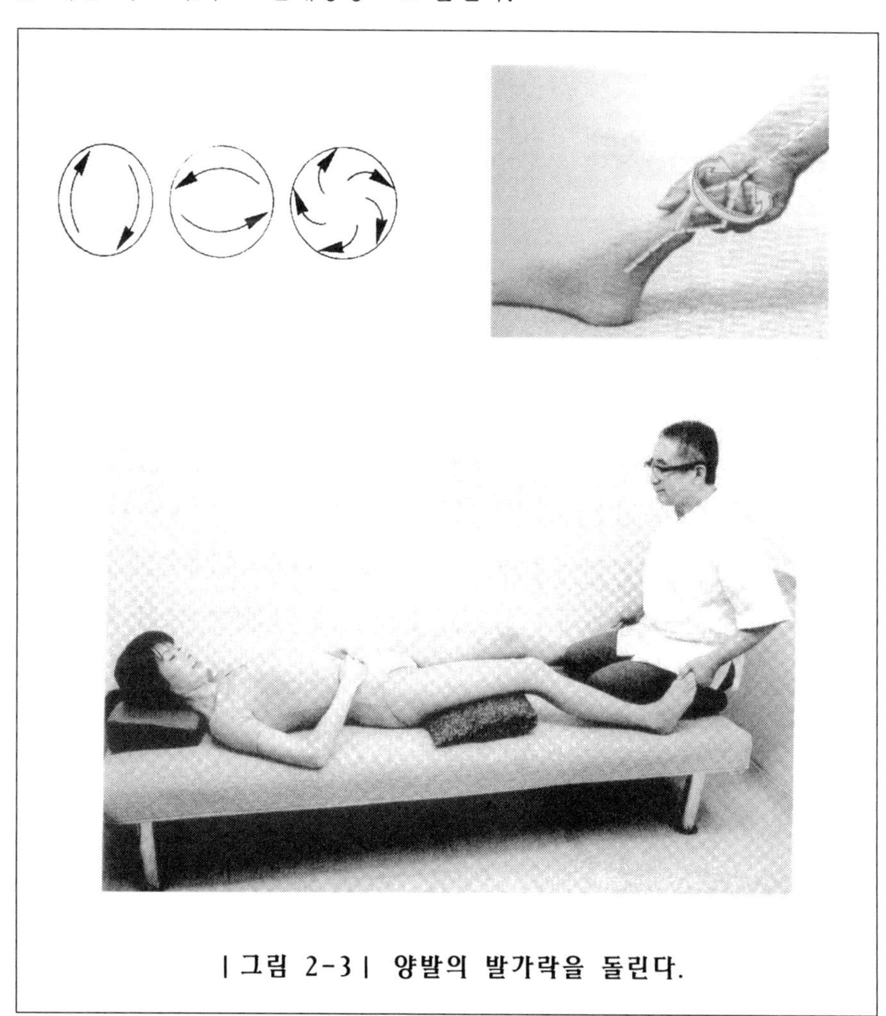

| 그림 2-3 | 양발의 발가락을 돌린다.

참고 [발가락을 돌리는 법]

발가락 끝을 원을 그리듯이 천천히 크게 돌려서 원주를 안쪽 에서 부터 평균적으로 문지르는 듯한 느낌으로 하면 좋다. 단, 발가락 끝을 갖고 크게 움직이는 것이 아니고 발가락의 기초부분(중족지절 관절)을 중심으로 큰 각도로 움직이는 것이 좋다.

④ 환자의 발목은 그다지 움직이지 않는 적이 좋다. 발가락 관절이 큰 각도로 움직일수록 기분이 좋다. 연동법의 동작은 약하고 상쾌한 것이지만 그래도 피곤하다고 하는 체력이 없는 사람이랑 필요 없이 힘을 주어서 잘 움직이지 못하는 사람에게는 발가락을 돌려보면 좋다. 이것은 노인에게 자주 있는 어색한 보행을 하는 사람, 넘어지기 쉬운 사람에게도 대단히 효과가 있다. 극히 적지만 그 중에는 이것으로 불쾌감을 동반하는 사람(리렉스 되지 않는 사람)이 있기 때문에 그러한 경우는 바로 중단하고 다시 한 번 잘 확인해서 불쾌감이 없는 쪽으로 돌려준다.

주의 이때 부드럽게 돌리려고 어깨를 내리면 팔의 힘이 빠진다. 고개를 세우고, 손목의 힘을 뺀다.

보충항목 ▶▶▶ 양발의 발가락을 돌리는 것

(가) 동작이 어느 부분까지 전해지는가?

대퇴라든가 복부라든가 머리까지 등 어디까지 움직이는가를 확인한다. 왼쪽 회전, 오른쪽 회전의 어느 쪽이 멀리까지 동작이 이르는가를 확인한다. 좌우로 돌려보고 상쾌한 쪽 멀리까지 전달하는 쪽을 선택한다.

(나) 발가락의 동작이 어디에(환부에) 전하는가?

허리, 견배부, 등 - 어느 발가락을 어떻게 돌릴 때인가? 만일, 불쾌한 동작이라면 반대쪽으로 돌려본다. 이것이 특정한 곳에 효과가 나타나는 일이 있다.

(다) 가볍게 발가락을 집고 손가락이 발가락 뿌리 부분에 닿도록 한다.

(1) 관절의 부분을 움직이기 때문에 작게 돌려도 움직이는 각도는 크게 된다. 돌리는 쪽이 편안하고 크게 연동하기 때문에 환자도 기분이 좋다.

(2) 발가락 뿌리 부분, 중족골 하부(No. 3)를 자극하므로 기분이 좋다.

* 발가락은 허리로부터의 신경 지배를 받고 있기 때문에 국소에 이상이 없어도 허리에 이상이 있으면 발가락까지 굳게 되는 경우가 있다. 이때는 (No. 4, No. 7, No. 9)을 봅니다.
* 발가락을 돌릴 때, 발목의 동작이 크게 되지 않도록 주의한다. 발목만 움직이고, 발가락이 돌지 않은 것은 안 된다. 발가락을 강하게 잡으면 손목이 굳게 되고 발가락이 잘 돌아가지 않는다.

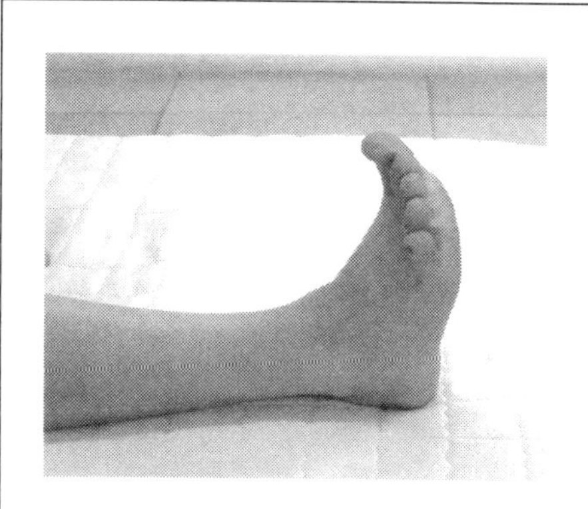

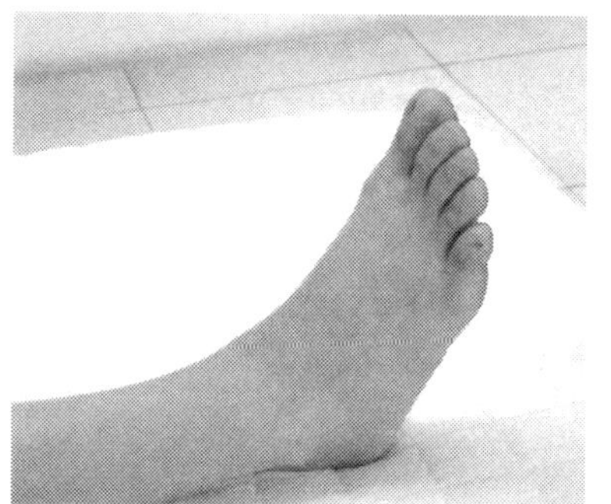

| 그림 2-4 | 발가락의 동작

다. 발가락 뿌리부분(중족지절 관절)을 돌린다.

전 항 가.에서 발가락을 천천히 팽이운동과 같이 돌린 것에 반대로 이 경우는 중족지절관절만을 Crankshaft가 돌듯이, 게다가 1초간에 3회 이상의 속도로 돌린다. 말로 구분하면 "원진동"이라고 말할 만할까? 이 자극은 순간적으로 원격부까지 도달해서 기분 좋게 느껴진다.

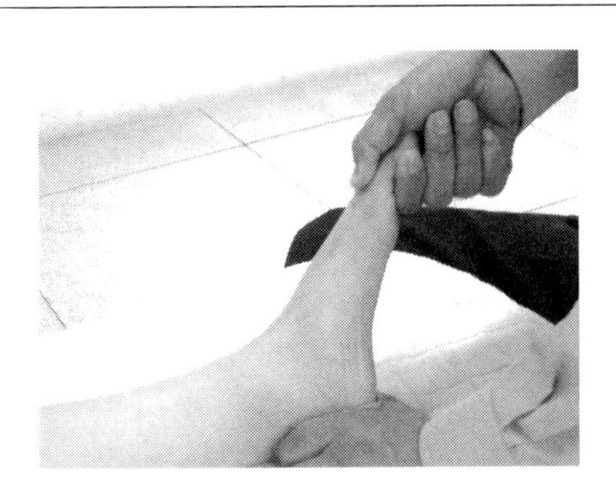

| 그림 2-5 | 발가락 뿌리부의 조작

① 조작방법

㉮ 검지의 두 번째 마디를 그림과 같이 종족지관절에 맨 아래에 댄다. 엄지 손가락을 가볍게 발등에 올려놓고 댄 손의 중지도 아래에서 가볍게 걸치고 손가락의 방향을 흩트리지 않고 중족지관절만 진동시키듯이 돌린다.

㉯ 다른 한손을 중족지골에 대고 이 뼈를 움직이지 않도록 받친다.

㉰ 각 손가락에 관해서 편하게 돌리려면 발에 걸쳐있는 양손의 양 팔뚝을 받치는 것이 좋다.

② 편하게 조작하고 받는 쪽도 기분 좋기 위한 요령의 예

㉮ 돌리는 손 : 무릎을 세우고 앞 팔을 발에 대고 지지점으로 한다. 어깨의 힘을 뺀다.

㉯ 누르는 손 : 다른 무릎 위에 둔다. 혹은 양팔을 침대에 두고 지탱한다.

ⓐ 그다지 자세는 신경 쓰지 않고 머리로 트이고 안구의 뒤로 통하고 목에서 어깨, 팔로 가는 등 여러 가지 자극이 된다. 그 중에는 이러한 자극을 느끼지 않는다는 사람도 있다.

ⓑ 다섯 손가락도 자주 벌린다. 이것으로 돌리는 방법의 좋고 나쁨도 판정할 수 있다.

돌리는 손을 그림 2-5와 같이 지탱하고 어깨의 힘을 빼면 받는 사람도 상쾌하게 다섯 손가락이 잘 벌어지는 등의 효과도 있다.

라. 증상예시

① 손이 떨린다.

86세 남자. 평소에 지극히 건강하고, 장거리 여행에 간다거나 산에 오르거나 할 때는 전혀 괴롭지 않고, 허리나 다리가 아픈 것은 전혀 없다. 단지, 3년 정도 전부터 손이 떨려서 괴로워하고 있다. 글씨를 쓰면 떨려버려서 지렁이가 기어간 자리 같고 "선생님은 달필이니까..."라고 말하여지기도 하고 또 차를 마실 때에 입에 가까이 대면 손의 떨림이 심해지고 때로는 엎어버리는 때도 있다. 병원에서도 진찰을 받아도 "이제 나이가 있으시니까"라고 상대도 해주지 않는다. 팔뚝, 어깨의 주변을 동작진료해도 이상한 움직임은 없다. 허리에도 다리에도 이상한 움직임은 없지만 오른쪽 비복부(장딴지)가 딱딱해서 발가락을 돌려보았다. 제3, 제4 발가락이 딱딱하고 바깥쪽으로 돌릴 때 오른손이 저려온다고 한다. 이것은 불쾌한 쪽이니까 안쪽돌림으로 천천히 크게 약 30회 돌려보면 매우 기분이 좋아진다고 한다. 손의 떨림도 적어지고 글씨를 써도 그다지 떨리지 않고 읽을 수 있는 글씨를 쓸 수 있었다. 3일 두고 두 번째, 5일 두고 세 번째에서 글씨는 정상이 되고 차를 마실 때의 손 떨림도 없어졌다. 많은 경우, 무릎을 구부린 자세에서 발끝을 바깥으로 돌려서 목에서 팔뚝으로 연동시키든가(No. 3, No. 4), 혹은 허리를 옆으로 구부려서(또는 바로 누운 자세로 무릎을 반대 방향으로 젖힌다) 허리에서의 연동이(No. 7) 효과적이지만, 게다가 이 경우는 발가락 끝에서 강한 영향을 받고 있다.

② 피로해지기 쉬운 체질

55세 여자 주부. 병원에 오가면서 검사를 해도 어디에도 나쁘지 않다고 하는데 손도 발도 허리도 아프고 늘어진다. 각 부위의 연동법을 행하면 아주 편안해진다고 말한다. 그러나 집으로 돌아가면 피곤해져서 또 증상이 돌아온다. 신장은 160cm인데 체중은 40kg에 미치지 못한다. 안색은 검고 어떻게 보아도 병약한 기질이기 때문에 병원에서 정밀검사를 받아보라고 권해도 전에도 여러 가지 검사를 받아보았으니까 괜찮다고 말한다. 할 수 없이 피곤하지 않도록 발가락을 돌리는 것만 했다. 이것은 연말의 일이고 해가 바뀌고 당분간 모습이 보이지 않아서 입원한 건가라고 생각하고 있었는데 1월 중순

이 되어 찾아온 것이다. 그것도 개관 시각의 30분이나 전부터이다. 그 때문에 바로는 방의 난방이 들어오지 않지만 역에서부터 걸어왔기 때문에 따뜻하다고 말했다. 이때도 발가락을 돌리는 것만으로 바로 건강하게 되었다.

③ 귀 울리는 사람에게

46세 남자. 요통 때문에 치료받으려고 왔는데 허리는 바로 좋아졌다. 또 손가락 관절통증도 있었지만 허리가 편안해지니까 모르는 사이에 손가락 관절통증도 사라졌다고 말해서 "이것으로 되었나?"라고 생각하고 있자 "사실은 귀 뒤부터 목뒤 부분이 무거워서 귀가 울린다"라고 한다. 어깨도 결린다고 한다. 바로 누운 자세로 발가락을 보자 오른쪽 제1 발가락(엄지발가락)은 안쪽으로 돌리자 상쾌하다. 제2 발가락은 안쪽으로 돌리자 쿡쿡하는 기분 나쁜 느낌이 든다고 한다. 그리고, 당기면서(견인) 돌리는 것과 누르면서(압박) 돌리는 것 중에 당기는 쪽이 기분 좋다고 한다. 제1 발가락을 주로 해서 모든 발가락을 기분 좋은 방법으로 움직여 보면 목도 가벼워진다. 그리고 "귀울림은?"이라고 물으면 "앗, 잊어버리고 있었다. 울리지 않는 것 같다"라고 한다. 발가락부터 목까지 연동하여 목(경추신경)부터의 신경 지배를 받는 부분의 이상이 해소되기 때문인데 귀 울림은 그 외에도 원인이 있는 것이 많다. 이러한 간단한 것만은 아니기 때문에 신중하게 진단한다.

(2) 발목의 배굴

발바닥에서 장딴지(넙치근, 비복근으로 구성된 삼두근), 무릎안쪽의 결림까지 이완한다(제2-2번 연동). 의자에 앉는다든가 다리를 편 자세 또는 바로 누운 자세로 발 등 부분에 발목을 가볍게 저항을 걸어서 발목을 젖힌다. 될 수 있는 한 발가락부터 젖혀지도록 한다. 이때 발끝을 안쪽 또는 바깥쪽의 기분 좋은 쪽으로 향하게 하고 가볍게 손으로 저항을 건다.

참고 [기본동작]

발가락 및 발목의 배굴 + 발끝의 안, 밖 회전(발을 젖혀서 안 또는 밖으로 돌린다.)

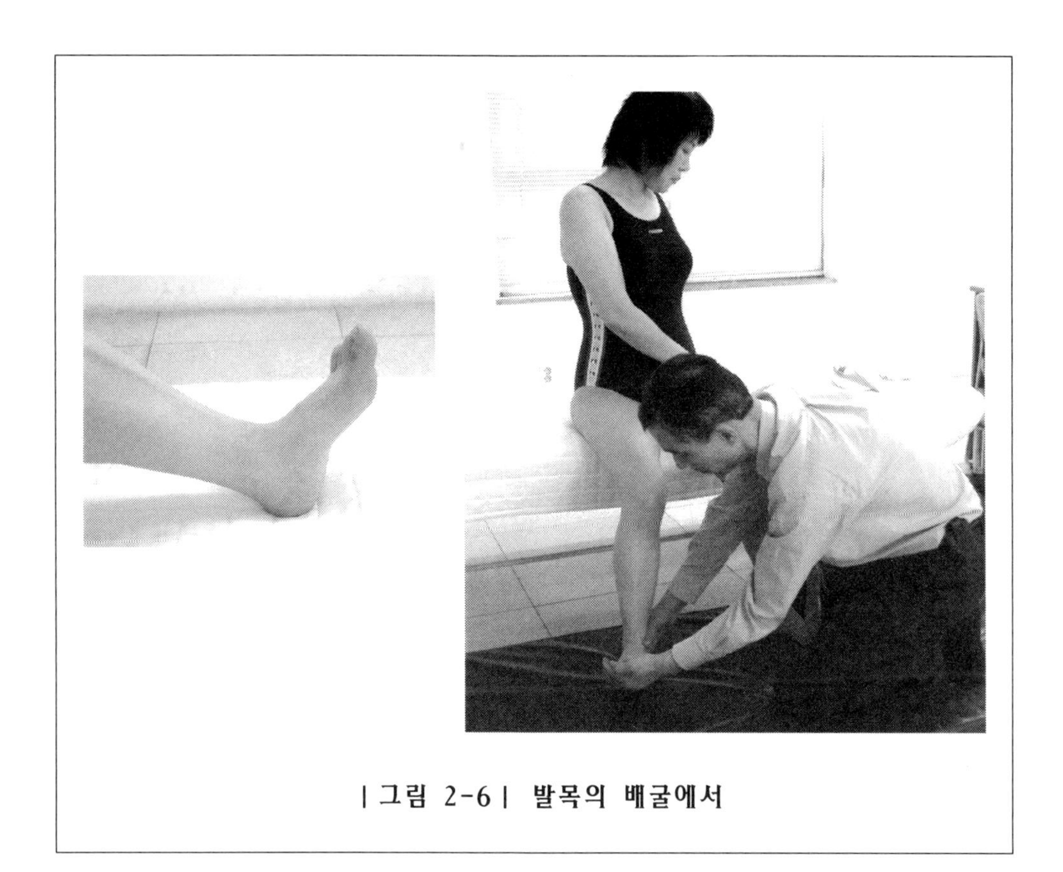

| 그림 2-6 | 발목의 배굴에서

기분 좋은 쪽의 동작으로

가. 의자에 앉는 예

의자에 앉아서 허리를 편다. 발을 가볍게 바닥에 두고 발목을 젖힌다. 양발이라도 좋지만 한쪽 발씩 하는 쪽이 정확하게 할 수 있다.

① 발등에서 발끝에 걸쳐서 한쪽 손을 얹어서 가볍게 저항을 건다.

② 발목을 충분하게 젖히면 허리가 펴지고 등 근육이 펴진다.

③ 이때 저항을 안 또는 밖으로 향해서 기분 좋은 쪽을 선택한다.

④ 발끝이 안 또는 밖으로 충분하게 움직이면 무릎과 허리가 움직이고 전신이 기분 좋게 회선동작으로 들어간다.

⑤ 충분하게 움직이면 더욱 움직이려고 하다가 약 3초 간격을 두고 후하고 숨을 내쉬면서 탈력시킨다. 한 번 호흡하는 사이를 두고 2~3회를 행한다.

주의 이때 다른 한쪽 손으로 무릎의 옆에서부터 저항을 걸면 좋다. 무릎동작은 발끝과 향하는 방향이 같고 상체의 회선 방향과 반대가 된다.

유도어 "발목을 젖히고 발가락도 젖힙니다. 충분하게 젖히면 허리가 펴지고 등 근육이 펴집니다. 거기에서 발끝을 안 또는 밖의 기분 좋은 쪽으로 돌려줍니다. 그러면 무릎도 움직이고 허리도 돌아갑니다. 충분하게 움직이면 그대로 힘을 넣어서 1, 2, 3, 예, 후- 하고 숨을 내쉬면서 전신의 힘을 뺍니다. 한번 호흡하는 사이를 두고 다시 한번 해 봅니다."

이와 같이 소리를 내면서 저항을 유도하여 잘 움직여주면 연동법의 효과가 더욱 상승한다.

나. 허리에서 부터의 영향

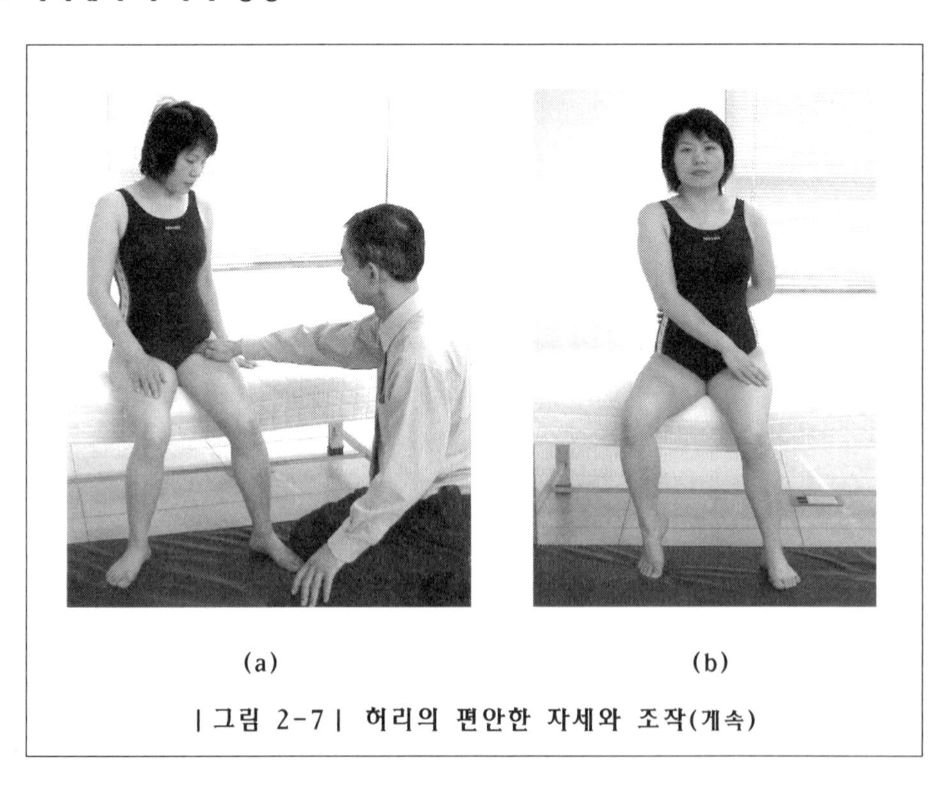

(a) (b)

| 그림 2-7 | 허리의 편안한 자세와 조작(계속)

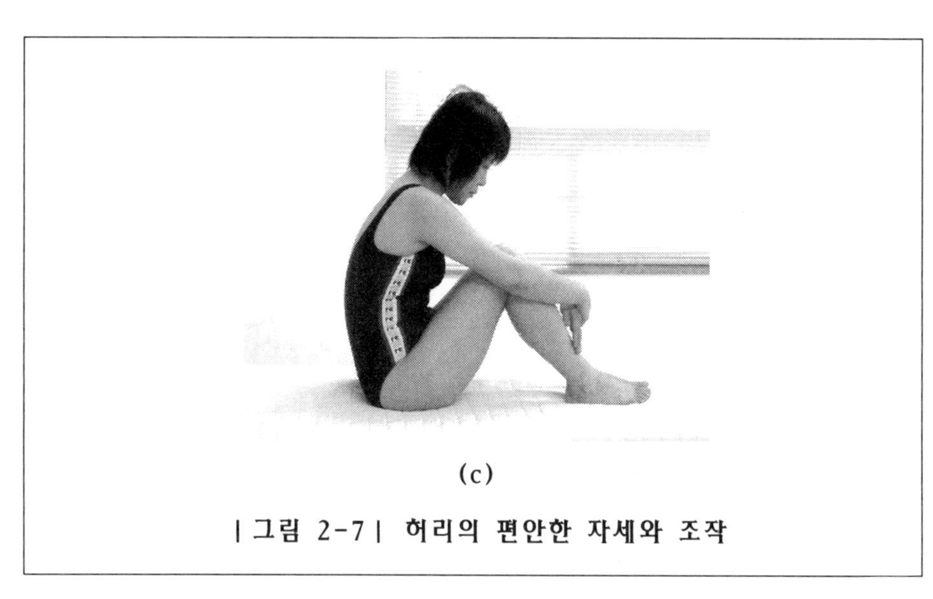

(c)

| 그림 2-7 | 허리의 편안한 자세와 조작

대요근의 긴장이 요추에 변형을 만들고(No. 7) 그 영향으로 굳어지는 것이 많다. 아무리 하퇴를 풀어줘도 잠시 후에 또 굳게 된다. 그때는 허리에서부터 조작한다. 그림 2-7 (a)와 같이 장골익하연(No. 7)을 압박(압진)하거나 그림 2-7 (c)와 같이 고관절을 굽혀서 무릎을 감싸 안아도 비복부는 부드러워지고 그림2-7 (b)와 같이 족관절의 동작에서 연동(No. 7)시켜서 허리를 조정해도 부드러워진다. 또 요배부의 긴장을 없애면(No. 9), 대퇴이두근(대퇴후부)에서 하퇴까지가 부드럽게 된다. "장딴지가 굳은 사람은 어깨가 결린다"고 말하여지는 것은 허리에서 위로도 아래에도 변형이 연동해서 관련부위에 이상을 일으키기 때문이다[자세하게는 (No. 7, No. 9) 참조]. 이때에 발에 영향하는 허리부분, 대요근은 대각으로 연동하는 경우가 많기(후술)때문에 동작분석을 잘해서 신중하게 처리한다.

보충항목 ▶▶▶

(가) 비복근은 이두근이기 때문에 그 어느 쪽 측이 긴장하고 있는가에 따라 편안한 동작이 결정된다. 넙치근, 경골의 소두, 비골 바깥쪽에 걸친 근육에서 시작하여 발꿈치 뼈에 붙는다. 이것이 긴장하면 장딴지 뼈 쪽에 통증이 온다(엄지발가락 쪽에 힘

이 실릴 때 긴장, 발끝의 배굴, 바깥 회전으로 이완).

(나) 발목을 젖힐 때는 엄지발가락을 주로 다섯 발가락을 열듯이 한다. 그리고 발가락에 저항을 걸도록 하면 족저근도 풀어진다.

(다) 발끝, 무릎, 상체의 동작이 충분하게 연동되는 쪽으로의 동작이라면 처음의 발끝의 동작이 더욱 강하게 된다. 연동이 되지 않을 때는 발끝의 움직이는 힘이 약하게 된다.

주의 이와 같은 경우 의료에서의 회복이 충분하지 못하더라도 발가락을 하나씩 기분 좋은 쪽으로 정성껏 돌릴 것. 발끝을 배굴하고 안, 밖의 기분 좋은 쪽으로 누르면서 탈력하는 것을 반복하면 비복부의 상태가 좋게 되고 회복이 빠르다.

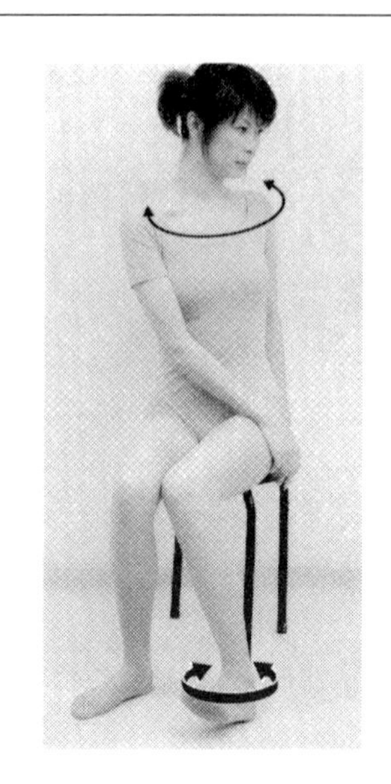

| 그림 2-8 | 무릎 안쪽의 관찰부위

다. 무릎 안쪽의 굳음

발, 허리가 피로해 있을 때 무릎을 굽혀서 무릎 안쪽(슬와부)을 손가락 바닥으로 옆으로 찾으면 오도독오도독 하는 굳음이 보여 진다. 후퇴부의 근육의 힘줄 끝의 긴장으로, 발목의 움직임으로부터 해소된다. 이것은 대퇴후부의 근육의 상태, 예를 들면 대퇴이두근의 굳음의 유무 등을 파악할 수 있는 것으로 어느 부위에 긴장이 있는가를 잘 판단하여 발관절의 움직임에서 부터 연동처리하면 좋다. 단, 연동 처리를 해도 굳음이 있는 경우 허리로부터의 영향이 있으니까 반대쪽 대요근의 조작을 하고 더욱이 발목에서의 상쾌한 동작을 하지 않으면 안 된다. 허리 그리고 무릎 안쪽이라고 하는 방향을 잡으면 좋다. 또 반대쪽의 발목의 동작에서 연동시키면 좋은 경우도 있다. 이와 같이 반대측을 이용하는 예는 많기 때문에 막힌다면 반드시 반대쪽을 계다가 발로 안 되면 허리에서 혹은 손에서라고 하는 전신상관을 간과해서는 안 된다. 어쨌든 다음의 연동법과 같이 세로의 움직임에 이어서 옆으로의 움직임을 시키면 좋다.

① **발목의 배굴, 회선**

㉮ 받는 사람

ⓐ 의자에 앉아서, 무릎을 거의 직각으로 구부리고, 자세를 바로 한다.

ⓑ 발끝에 가볍게 손을 놓고 저항을 한다.

㉯ 연동법

ⓐ 발목을 충분히 젖히고, 발등에 손을 얹어서 가볍게 저항을 걸은 채 발끝을 안, 밖으로 향해서 어느 쪽이 상쾌한가를 본다.

ⓑ 충분하게 상쾌한 쪽을 향해서 허리가 움직이고 상체가 움직인다면 거기에 움직이려고 하면서 그대로 3초 정도 참고 후하고 숨을 내쉬면서 탈력시킨다. 한 번 호흡하는 사이를 두고 2~3회 행한다.

주의 여기서 말하는 상쾌한 쪽이라고 하는 것은 촉진해서 무릎 안쪽의 굳음이 풀리는 쪽에 발끝을 향하는 것으로 반대쪽으로 향하면 한층 긴장한다. 발목을 젖히는 것만이 아니고 허리까지 움직이도록 지시하면 좋다.

● ● ● ● ● ● ● ● ● ● ● ● ●

유도어 "내가 발끝에 가볍게 저항을 걸겠지만 신경 쓰지 말고 발끝을 충분히 젖혀주세요. 그러면 정강이가 움직이고 허리가 펴지고 등 근육이 펴지고 거기에서 발끝을 좌 또는 우(안 또는 밖)으로 돌리면 어느 쪽이 기분 좋습니까?"

➡ 오른쪽

"그렇다면 오른쪽으로 충분히 돌리면 무릎도 옆으로 움직이고 허리도 돌아가고 상체가 비틀립니다. 무릎이 움직이는 반대쪽으로 비트는 것이 기분 좋지요? 한껏 움직였으면, 가볍게 눌러서 그대로 1, 2, 3, 예 후-하고 숨을 내쉬면서 탈력해 주세요. 한 번 호흡시간을 두고 다시 해봅시다."

주의 1. 저항을 너무나 강하게 해서 동작을 멈추게 하지 않을 것
2. 기분 좋은 방향이라고 하는 것은 무릎 안쪽의 굳음이 이완해 있는 상태

● ● ● ● ● ● ● ● ● ● ● ● ●

② 무릎 안쪽이 풀리는 위치에서 발목배굴

무릎 안쪽을 손가락으로 찾고 굳음을 확인하고 발끝을 남의 힘으로 좌우로 돌려보면 굳음이 후 하고 풀어지는 각도가 있다. 이 위치에서 발끝을 젖혀서 발의 동작에 저항을 건다.

㉮ 받는 사람

의자에 앉아서 무릎이 직각이 되도록 자세를 바로 한다.

㉯ 연동법

ⓐ 발끝에 가볍게 손을 얹어서 무릎 안쪽의 굳음이 없어지는 쪽으로 발끝을 향하게 한다.

ⓑ 발끝에 저항을 걸어서 발목을 배굴 시킨다.

ⓒ 발끝이 움직이고 허리가 움직이면 상체가 기분 좋은 쪽으로 비틀어서 충분한 동작이 나오면 그대로 3초를 참고 후하고 숨을 내쉬면서 탈력시킨다. 한 번 호흡하는 사이를 두고 2~3회 행한다.

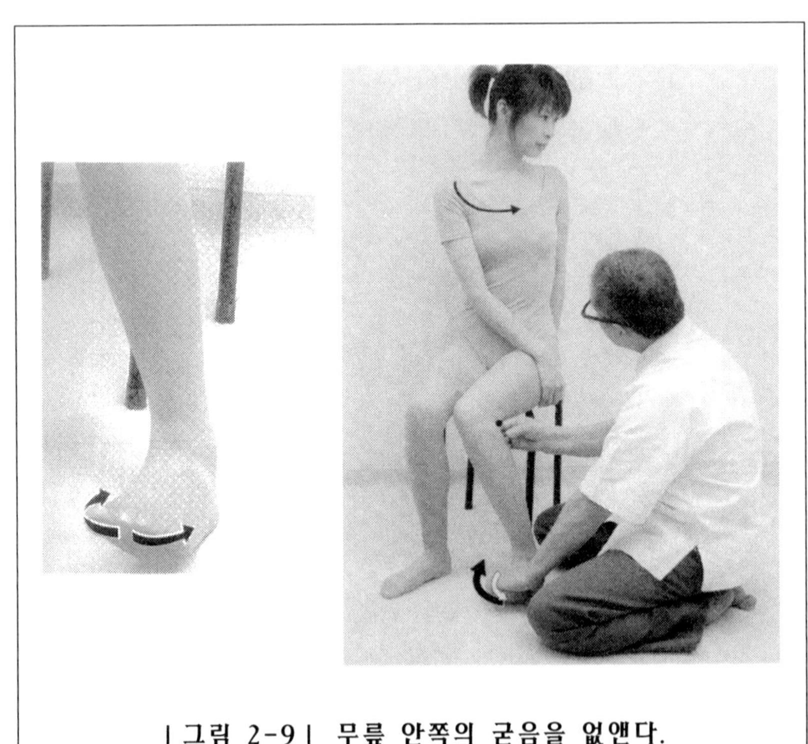

| 그림 2-9 | 무릎 안쪽의 굳음을 없앤다.

③ **상위의 근에서부터 주의해서 지켜본다.**

발은 요추신경의 영향을 받기 때문에 이쪽부터 주시한다.

㉮ 대퇴이두근에서 대퇴 후부의 근육(슬관절굴근), 슬와근의 긴장이 나타나기 때문에 이 긴장을 없애는 것에 의해 연동하는 각종의 효과가 중요하다. 대요근(No. 7)혹은 요배부(No. 9), 대퇴후부(No. 4)에 의해 조작을 한다. 서서 앞으로 구부리기 힘들고 무릎이 아프고 요통이 있을 때에 이 긴장이 현저하다.

㉯ 허리의 비틀림을 없앤다. 다리의 각부에 걸친 근육은 허리에서의 신경(요추신경)지배를 받고 있기 때문에 허리의 비틀림을 잡는 것이 중요한다(No. 7). 굳음이 강한 쪽의 반대측의 대요근이 이완하고 있는 상태, 예를 들면 앉은 자세로 요골(장골)을 긴장하고 있는 측으로 충분하게 비틀었을 때 대퇴이두근도 무릎 안쪽의 굳음도 일시에 풀리기 때문에 풀리는 쪽으로의 조작을 한다.

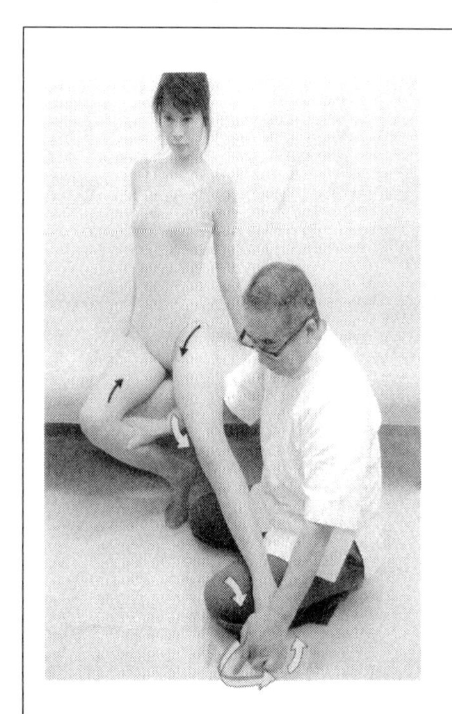

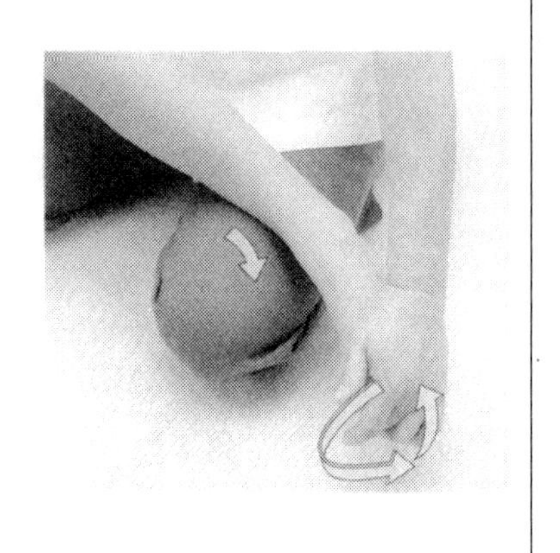

| 그림 2-10 | 허리긴장해소(實-No. 7)

④ 반대측 발목의 동작에서

같은 측의 동작에서 변형이 잡히지 않을 때는 무릎 안쪽의 굳음을 촉진하면서 반대 발의 발목을 안 밖으로 향해서 굳음이 이완하는 위치에서 발목을 배굴 시킨다. 그림 2-10의 발의 동작을 행한다. 한 쪽의 발의 동작에서 허리를 경유해서 전신에 연동하는 것을 나타낸다.

MEMO

3

3번 연동 I
발바닥부 연동

앞 발바닥부(각 중앙 족골경부의 안 또는 밖) 그림 3-1, 발가락이 붙어 있는 뿌리는 (지근부) 몸의 여러 곳으로 연동해서 변형을 조정하는 지점이 되는 중요한 곳이다. 국소의 처리, 관련 점의 조작으로 잘 되지 않을 때는 그림 3-2의 어느 부분인가의 조작으로 좋아지는 경우가 자주 있다. 몸의 변형, 특히 운동기 계통의 것은 운동관계에 있기 때문에 국소에 그치는 것은 없다. 그 중에서도

- 제1, 2 : 중족골의 경부의 바닥쪽(안, 밖)을 발끝으로 향해서 중심방향을 상향으로 표시된 쪽으로 압박해 본다(압진점).
- 제1, 2 : 중족골측 머리부분(발가락 뿌리 하부)에 관해서 뼈의 머리 중심 방향으로 압진해 본다.

이상의 곳으로 부터 연동하여 다음과 같은 장해가 좋아진다.

- 경완장해 : 손가락이 아프다. 팔뚝이 아프다.

• 어깨의 움직임이 나쁘다. : 잠을 잘 못 잤다. 자동차의 충돌·추돌 때, 강한 충격으로 인하여 목이 앞으로 강하게 흔들려 생기는 장애
• 요통 : 아파서 다른 장소의 조작을 할 수 없다. 또 일어날 때의 통증, 그 외
• 시력 : 근시, 난시, 노안 등

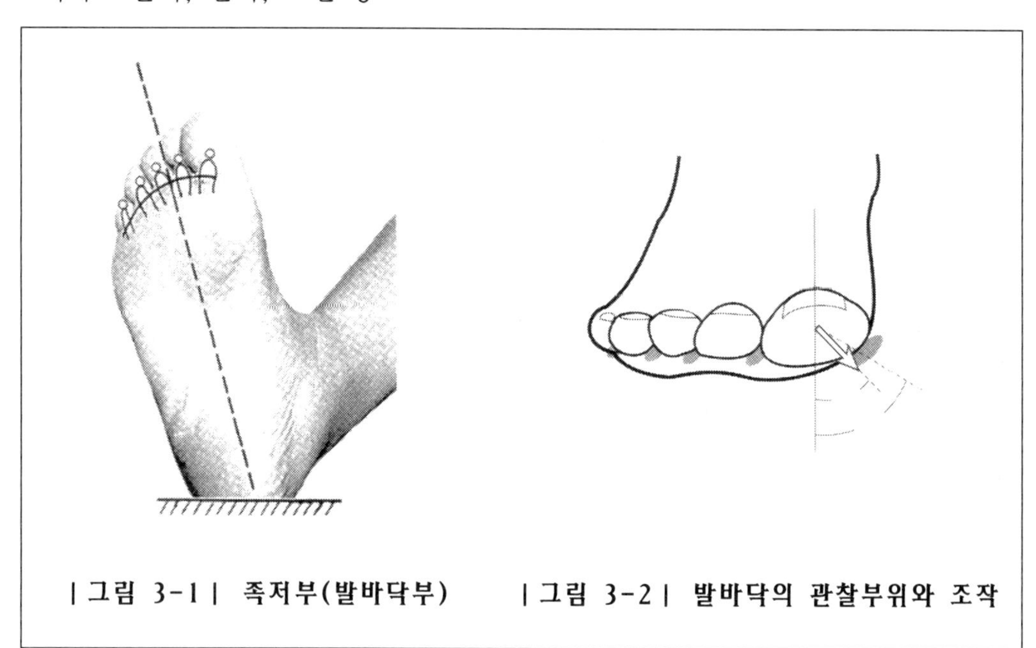

| 그림 3-1 | 족저부(발바닥부) **| 그림 3-2 | 발바닥의 관찰부위와 조작**

(1) 족지절골 배굴

제1중족골경부의 안의 아래쪽 또는 밖의 아래쪽, 반듯한 옆도 아니고 반듯한 아래도 아니고 옆쪽의 45도~60도 아래의 위치에서 진단한다. 이 안의 아래측인가 밖의 아래쪽인가는 상체의 비틀림이 편한 쪽과 일치한다. 발끝의 동작은 상체의 비틀림과 반대쪽이 충실한 것이 된다. 이때 발가락에 저항을 걸어서 이완하는 부위가 압진점이다. 정중선에 향해서 옆쪽에서 발끝 쪽으로 수초동안 압박하면 손이나 목 등 관련부의 이상감이 변한다. 제2, 제3, 제4, 제5의 각 중족골경부에 관해서도 압진한다. 이 경우 압박하고 있을 때만 '슷'하고 경쾌하게 되고 손을 놓으면 또 돌아오기 때문에 다음에 서술하는 연동법으로 확실하게 처리해 두도록 한다.

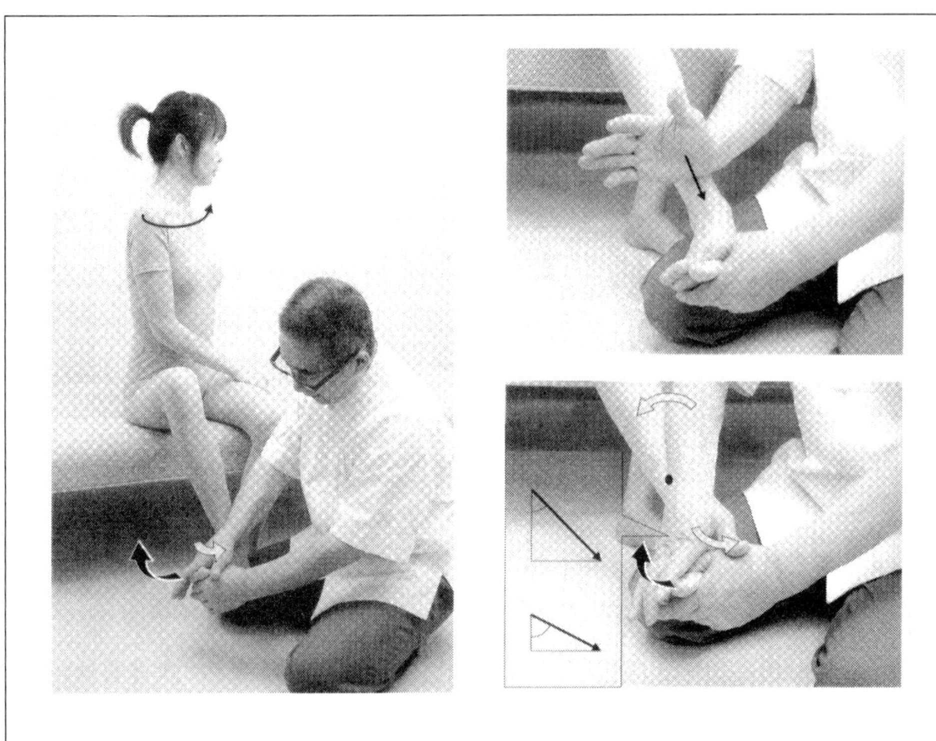

| 그림 3-3 | 발가락에서의 조작

가. 받는 사람

의자에 앉아도 누운 자세로 무릎을 세워도 좋다. 전신이 잘 움직이도록 의자에 앉은 방법으로 설명하겠다.

나. 연동법

① 발꿈치를 대고 발목을 젖히고 발가락도 젖힌다. 엄지발가락을 주로 해서 다섯 발가락을 젖힌다.
② 발등 쪽에서 주로 엄지발가락에 가볍게 손을 얹어서 아래서 위로 저항을 건다.
③ 엄지발가락이 충분히 젖혀지면 약간 저항을 강하게 하고 저항을 안쪽, 바깥쪽에 향하고 다음에 거기에 유도되도록 움직임이 기분 좋은 쪽 또 목표인 곳이 '숫'하고 기분 좋게 되는 쪽으로 향한다.

④ 게다가 더 움직이게 하려 하면 무릎이 움직이고 허리가 움직이고 상체가 비틀려온다.

⑤ 움직이는 무릎관절이랑 그 외의 부분에도 가볍게 저항을 걸어서 충분하게 움직이면 더욱 움직이려 하면서 3초를 두고(연동시킨다) 후~하고 숨을 내쉬면서 탈력시킨다. 한 번 호흡 사이를 두고 약 3회 행한다.

유도어 (발가락 끝에 손을 얹어서) "발끝을 굽혀주세요. 발가락 그 중에서 엄지발가락을 주로 기분 좋게 굽혀서 그대로 안, 밖의 기분 좋은 쪽으로 돌리고 무릎도(어느 쪽인가 모르는 사람도 있기 때문에 이때는 발끝이 향하는 쪽에) 움직이게 하고 상체도 돌려주세요(무릎과는 반대쪽이 된다). 충분히 움직였으면 가볍게 누르고 그대로 1, 2, 3, 예, 후~하고 숨을 내쉬면서 탈력합니다. 허리로부터 전신의 힘이 빠지도록 한 번 호흡사이를 두고 다시 한 번 해 봅시다"

주의 말의 속도는 환자의 움직임을 보면서 차례차례 지시를 한다.

다. 보충설명

① 이 부위는 위치 각도가 어렵고 포인트를 벗어나면 반응을 모르기 때문에 효과를 알지 못하는 경우도 있다. 이때는 발목, 엄지발가락을 배굴시켜서 굽힌다(위에서 아래). 안을 향해서 저항을 걸어서 상체를 반대쪽으로 충분히 비틀었을 때 이상이 없어져 있으면 좋다.

② 엄지발가락이 충분히 젖혀지지 않으면 효과가 나타나지 않는 경우가 있기 때문에 저항과 유도로 동작을 충분히 크게 시킨다.

라. 증상 예

① 요선부가 욱신욱신한다.

허리가 아프다고 하기 때문에 대요근(No. 7), 내퇴부(No. 4) 및 흉복부(No.

8) 서혜부 요선부(No. 6)를 처리해도 역시 이상이 잡히지 않는다. 그래서 발 부분을 여러 가지 조사해 본 결과 왼쪽 세 번째 발가락 근저부의 압진으로 통증이 없어졌기 때문에 엄지발가락을 배굴시켜 유도하여 압진부가 이완하는 쪽에 발끝부터 대퇴 및 상체까지 충분히 움직이게 해서 3초두고 탈력시켰다. 이것으로 겨우 통증이 없어졌다.

② 4개월 전부터 목이 아파서 통원중

51세 남. "엑스선상에 경골이 변형되어 있다"고 말하였다. "복약(뼈를 부드럽게 한다) 및 주사(뼈를 강하게 한다)를 계속 했지만 몸 상태는 좋지 않았다"라고 한다. 우선, 발부터 진찰했다. 목이라고 얘기했는데 전혀 다른 발을 진찰한다고 약간 불만인 모양이었지만 우선, 오른쪽 제1중족골 내 하부를 압진했다. 다행히도 '슷'하고 목의 기분이 좋아졌다고 한다. "경보가 울리는 곳과 원인이 되는 곳이 다른 경우도 자주 있다."는 것도 염두에 두어야 한다. 이 발로부터의 연동으로 요선부가 쾌유하고 손, 팔, 목과 일련의 이상이 동시에 소실했다. 실제로 제1중족골내 하부는 이상하게 멀리까지 영향을 주는 것이다.

③ 경완(목, 팔뚝) 장해와 발

28세 여 보모. 오른손의 통증이 심하고 자전거를 타도 브레이크를 잡을 수가 없고 밤에 잘 때에도 어깨부터 위 팔뚝이 아프다. 병원에서 진찰한 결과 '20일간의 휴직치료'라고 나왔다. 목을 견인하기도 하고 전기를 걸어보기도 하고(저주파치료) 해 보아도 호전되지 않았다. 허리의 통증도 있고 발 관절 으로부터의 연동(No. 7)을 시켜서 바로 누워서 무릎을 세우고 반대쪽으로 쓰러뜨린다(No. 9). 또는 무릎 굴절부위에서 발끝을 밖으로 돌리면(No. 4) 어느 정도는 편하게 되지만 다시 산뜻하지 못하다. 오른발의 엄지발가락이 굳어져 있기 때문에 제1중족골 경부의 내하측을 상후 쪽으로 압진해 보면 팔뚝어깨가 가벼워진다. 발목 발가락을 젖혀서 엄지발가락에 가볍게 손을 얹고 안 아래쪽에 가볍게 저항을 걸고 발끝을 바깥쪽(새끼발가락 쪽)으로 돌리고 무릎도 움직이고 상체도 반대쪽으로 회전시켜 충분히 움직인 곳에 그대로 3초를 두고 후~하고 숨을 내쉬면서 탈력시킨다. "아~ 정말 기분 좋다."라고 말해서 2~3회 시키자 손이 가벼워지고 이틀째에 완전히 이상을 느낄 수 없게 되었다.

④ 허리, 팔뚝의 통증

50세. 통소를 배우게 되어서 연습을 하는데 좀 지나니까 팔부터 어깨가 아프고 특히 오른손이 올리기 힘들다. 허리도 때때로 무거워지고 어깨에서 손, 팔까지 긴장해 있다. 매주 정기적으로 배우러 가고 점점 음도 느껴 나가게 되어서 이제 와서 그만두고 싶지 않다고 버텨봤지만 좀처럼 낫지 않았다. 침도 맞고 팔을 움직이는 훈련을 했지만 전혀 좋아지지 않았고 '통소 수업을 그만 두면 좋아진다고 하는데...'라고 갈등하고 있을 때 아는 분의 소개로 왔다고 말했다. 어깨의 앞쪽(감각근 앞부분)에서 위 팔뚝에 걸쳐서 응어리가 있고 감각근 중앙 뒷부분을 처리해도 아직 충분하게 움직이지 않았다. 오른발의 제1 중족골 안 아랫부분을 앞의 안쪽으로 상향해 압박해 보면 팔이 올라간다. 그래서 발목부터 엄지발가락을 젖히고 여기에 가볍게 저항을 걸어서 무릎에서 허리까지 움직이면 그대로 3초를 두고 후~하고 숨을 내쉬면서 탈력시키고 그것을 3회 반복시킨다. 팔이 귀 가까이에 올라가도 그다지 아프지 않다. 하루를 두고 다시 한 번 반복하면 팔이 귀를 넘어서 뒤까지 아프지 않게 올라가게 된다.

⑤ 오십견

46세 남. 요즘 일이 너무 바쁘고 해서 그다지 골프도 하지 않았단다. 목부터 머리가 무거워졌는데 지금은 게다가 오른쪽 어깨부터 팔뚝이 짓눌리듯이 괴롭고 자고 일어나도 아플 때가 있다. 병원에서 '오십견'이라고 진단되었으나 평소 아픈 것이 다른 사람에게는 보여 지는 것도 아니고 '차차 나아지겠지'라고 생각하고 약 40일이 경과된 후 바로 어제 골프연습에 갔는데 어깨에 삐끗하고 통증이 와서 그만두고 돌아왔단다. 어깨 굳음도 심하고 허리의 움직임도 굳어 있었기 때문에 요통의 조작을 한 번 통해서(No. 4, 7, 9) 팔을 올려보니까 아직 아프단다. 발가락에 관해서 보자. 오른쪽 제1중족골 앞 아랫부분의 압박시가 가장 편하게 된다. 이 부위의 조작을(No. 3) 행하면 꽤 편안하게 되었다. 하루를 두고 다시 한 번 행하자 "어깨의 움직임이 산뜻했다"라고 말했다.

(2) 족지절골 저굴

발바닥의 앞에서 나온 부위 외에 발가락이 붙은 뿌리, 발가락의 제1 관절의 가운데 발 뼈의 옆 끝 바닥 쪽에서도 여러 이상부위에 연동시켜서 조정할 수 있다. 발가락 바닥의 정중선의 양측에서 손가락 끝으로 위쪽에 압박해 보면 손이랑 목의 이상감이 '슷'하고 없어지는 곳에 행한다(그림 3-2 참조). 이것으로 어깨, 목 등의 이상이 없어지든가 감소하는 것을 확인 할 수 있으면 다음의 조작을 행한다. 전항의 중족골경부는 발바닥이 딱딱한 사람에게는 진단하기 어려우니까 이 부위가 압진하기 쉽다.

가. 받는 사람

의자에 앉아서도 바로 누워서 무릎을 세워도 좋다. 발꿈치를 바닥에 대고 발목 및 발가락을 젖힌다.

나. 연동법

발끝의 특히 엄지발가락을 주로 해서 전에 압진을 해서 찾았던 관계 깊은 발가락에 까지 발등 쪽에서 손을 올려놓는다(엄지발가락이 움직이지 않으면 다른 발가락도 움직임이 나쁘다). 가볍게 저항을 걸으면서 발목, 발가락을 젖히도록 유도한다. 허리가 펴지고 등도 펴지면 발끝을 안 또는 밖으로 기분 좋은 쪽으로 돌리게 하고 오려놓은 손으로 옆에도 가볍게 저항을 걸어서 유도한다. 발끝이 움직임을 끝내면 무릎이 움직이고 허리가 돌고 상체도 비틀려온다.

참고

- 이 발끝의 향하는 방향은 위와 같이 압진한 부위의 이완하는 움직임의 방향이다.
- 발끝이 향하는 쪽과 무릎이 움직이는 쪽이 일치하면 허리에서 상체는 그 반대쪽으로 돈다. 충분히 움직이면 그대로 3초를 두고, 후~ 하고 숨을 내쉬면서 탈력시킨다.

다. 증상 예

① 경완장해(목, 팔 장해)

48세 여. 파트타임 일로 Trace(도면, 도형을 그리는 일)를 하고 있다. 왼쪽 손에서 어깨에 걸쳐서 아프다. "오른 손을 자주 사용하는데..."라고 말한다(이때에 왼손은 표본종이를 눌러야 되기 때문에 계속해서 힘이 들어가고 움직이는 오른손보다 쉽게 피로 해지는 것이다). 허리는 아프지 않다고 말하기 때문에 국소부터 어깨 삼각근 앞부분, 요배부를 조작해도 역시 이상이 남는다. 발가락에 관해서 압진하면 왼쪽 제3, 제4, 제5 발가락 뿌리 바닥 부분 바깥쪽에 관련점이 있다. 계속해서 발가락, 발목을 배굴시켜서 저항을 안, 밖으로 향해보면 바깥쪽이 기분 좋다고 한다(자기가 하는 동작은 안쪽이 상쾌하다). 바깥쪽에 저항을 향해서 발끝을 안쪽에 아울러 무릎, 허리, 상체를 반대쪽으로 돌려서 탈력시키면 4~5회로 손이 산뜻해졌다. 큰 도면일 때는 제작판의 앞에 서서 쓰기 때문에 그때의 체중이 걸리는 쪽에도 문제가 있다. 체중이 걸리는 쪽이 새끼발가락 쪽이 되어 있다.

② 서혜부의 통증

16세 여 학생. 왼쪽 서혜부의 통증

㉮ 앉아서 상체를 오른쪽 회전 때 아프다.

㉯ 왼쪽 무릎을 올릴 때 아프다.

ⓐ 이 동작분석에서 오른쪽 대요근의 처리(No. 7)로 왼쪽 요배부의 긴장도 없애고 오른쪽 장골근의 처리도(No. 6) 행하면 상체를 돌릴 때의 통증은 없어졌다. 그러나 왼쪽 무릎을 들어 올릴 때의 통증은 안전히 없어지지 않았다.

ⓑ 장골의 바깥쪽의 처리를 해도 통증은 있다. 발가락 뿌리부분에 관해서 보고 가자면 중족골경부에 관해서는 안, 밖 어느 쪽에도 변화는 없고 골두부쪽에서 제1 가운데 발 뼈 쪽 끝 안쪽을 압박해서 무릎을 들면 통증은 없다. 발가락 위쪽에 가볍게 저항을 걸어서 발가락, 발목과 함께 배굴+외전(밖으로 굴리다)을 시켜서 탈력한다. 이것으로 상기의 두 개의 이상이 해소되었다.

라. 참고사항

① **요통과 발바닥부**

요통의 연동법에서 대요근(No. 7), 대요근(No. 9), 및 서혜부 등으로 처리해도 허리의 묵직함은 시원하게 없어지지 않는다. 의자에 앉아서 무릎을 들어 보아도 역시 충분히 올라가지 않는 경우가 있다. 이럴 때 발바닥의 제1 혹은 그 외의 중족골경부의 안쪽 또는 바깥쪽으로부터 중심에 향해서 발가락 끝쪽으로 압박해서 무릎을 올리게 해 보면 용이하게 올라가는 경우가 있다. 이 사례에서는 발목, 발가락의 배굴과 바깥으로 굴리는(젖혀서, 새끼발가락 쪽으로 돌린다) 연동법으로 허리가 편하게 되었다. 이와 같이 발바닥부(No. 3)의 연동법에서는 발가락을 배굴할 때 어느 발가락의 경우라도 [엄지발가락을 젖히게 한다]처럼 하지 않으면 잘 움직여지지 않는다. 또 발가락 끝을 새끼발가락 쪽으로 돌리는 경우에서도 허리, 어깨, 목을 발끝과 반대쪽으로 돌린다고 유도하면 발끝의 동작이 더 크게 된다. 이 극한의 발끝의 사소한 움직임이 연동효과를 크게 한다.

MEMO

4

4번 연동 - 대퇴에서 척추(경배부 · 요선부) 연동

목을 뒤로 젖힐 때 목의 뒷부분에서 등 부위에 걸쳐서 아프다. 또 옆을 보아도 아프다. 손목이랑 팔꿈치 통증도 없어지지 않는다. 이때, 국소에 구애받지 않고 다리로부터 연동시켜서 대단히 효과가 있는 방법이다. 그림 4-1에 나타나는 대퇴 안쪽의 위치에서 무릎을 굽혀서 다리를 벌렸을 때 그림과 같이 대퇴부 중앙의 평하고 팽팽해진 부분을 경계로 해서 뒤쪽을 ①번, 앞쪽을 ②번으로 정하고 이 부분의 동작법, 연동하는 부분에 관해서 서술하겠다. 대퇴 안쪽에는 다리를 안으로 굴리거나 안으로 돌리거나 또 무릎을 굽히고 확장하는 근육군이 있고 이것들의 움직임이 목, 손으로 연동해서 여러 가지 효과가 나타나는 등 중요한 곳이다. 촉진 방법은 손가락 바닥으로 가볍게 쓰다듬어서 경결과 통증이 있는가 없는가로 어느 쪽인가 판단한다(그림 4-1 참조). 이 부분을 정돈하기 위해서는 관절의 아래근육을 움직이는 것만이 아니고 발목의 동작에서 연동시키면 한층 효과가 있다.

여러 방법이 있지만 특히 유효한 것은 다음의 동작을 끌어내는 것이다.

① 대퇴 안 뒤쪽 부분의 완해동작

☞ 무릎 굴곡 부위로 발끝을 밖으로 굴리고+배굴(등 부위, 목 부위로 연동한다)

② 대퇴 안 앞쪽 부분의 완해동작

☞ 무릎 굴곡 부위로 발끝을 밖으로 굴리고+저굴(요선부로 연동한다)

①, ②번의 상태에서 의자에 앉아 상체를 비틀 때

㉮ 상체가 향하는 쪽의 그림 4-1의 ①이 긴장하여 굳어지면 이쪽으로의 회선동작을 저해한다. 동시에 상체가 돌아가는 쪽인 ②가 이완한다.

㉯ 상체가 향하는 반대방향인 ②가 긴장하고 이것이 굳으면 상체의 회선동작을 저해 한다. 상체가 향하는 반대쪽인 ①이 이완한다.

참고

- 안쪽 다리 부분의 조작으로 상체의 움직임도 가미되었을 때는 ①과 ②의 다른 점에 주의한다. 이러한 기본동작을 밟아서 발목의 움직임에서 허리, 목으로 그리고 손, 팔까지 조정할 수 있는 방법에 관해서 설명하겠다. 이 부위에서의 연동은 대단히 응용범위가 넓고(No. 3, 7, 9)등과 병용한다면 여러 가지 효과가 있기 때문에 잘 연구해 둘 필요가 있다.
- 위의 ㉮, ㉯의 동작은 발끝의 바깥 굴림에 더해서 ①번 발목의 배굴, ②번 발목의 저굴과 제각기 서로 반대되는 움직임으로부터 연동시킨다. 즉, ①이 긴장하면 ②가 이완하고, ②가 긴장하면 ②이 풀어지는 동작이 된다.

이상의 두 종류의 동작은 제각기 별도의 효과가 있다. 더욱이 무릎관절의 굴곡, 확장, 상체의 회선도 영향을 주기 때문에 병용하면 상승효과가 있다.
정리해서 표시하면 다음과 같다.

❖ 대퇴부 연동법에서 각 부분의 동작

	발끝의 동작(주동작)	무릎의 동작(보조동작)	상체의 회선(보조동작)
①의 부분(내퇴하부)	밖으로 굴림+배굴	편다.	발과 반대쪽으로
②의 부분(내퇴상부)	밖으로 굴림+저굴	굽힌다.	발과 같은쪽으로

참고

발끝의 동작은 의외로 약하기 때문에 저항을 너무 강하게 하면 동작이 막히고 충분한 연동이 되지 않는 경우가 있다. 저항은 손가락 한개 정도로 약하게 걸고 될 수 있는 한 크게 움직일 수 있도록 하면 한층 더 좋은 효과가 나온다.

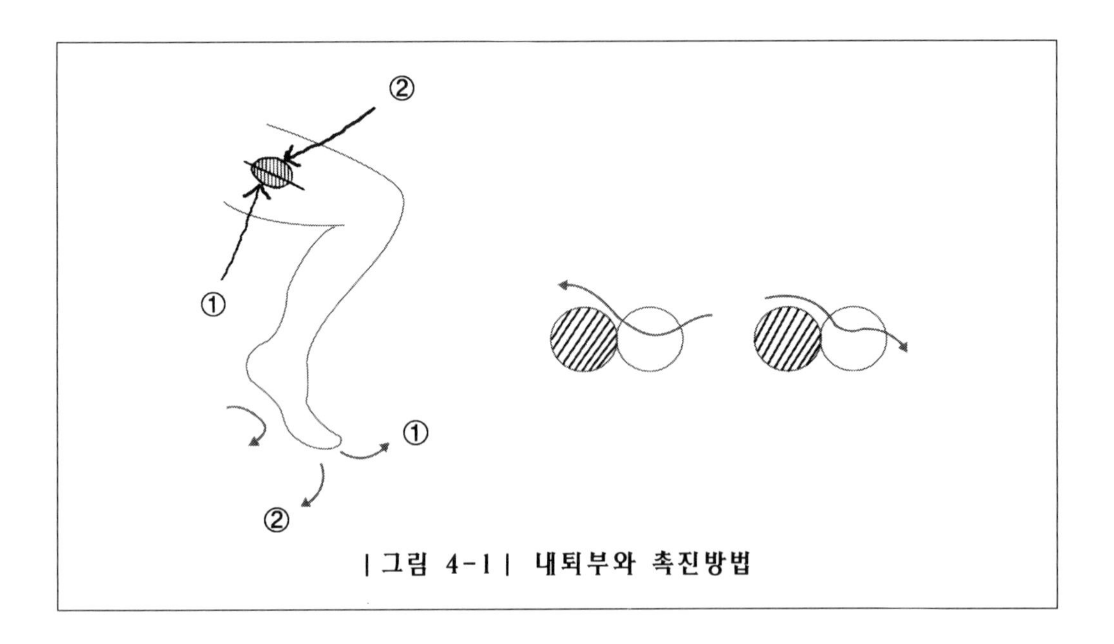

| 그림 4-1 | 내퇴부와 촉진방법

(1) 대퇴 안쪽 뒷부분의 이완법(제4-1번 연동)

가. 의자에 앉아서 행한다.

① 받는 사람

조금 큰 의자에 약간 옆을 향해 앉아서 고관절을 벌려서 무릎을 구부리고, 발목을 의자의 끝자락에서 조금 벗어나게 한다(발목의 동작을 방해하지 않도록).

② 연동법

㉮ 발바닥 쪽에서 새끼발가락 뿌리 바깥쪽에 손가락을 걸쳐서 가볍게 저항을 하면서 발끝을 새끼발가락에 돌리고 게다가 발목, 발가락을 젖힌다.

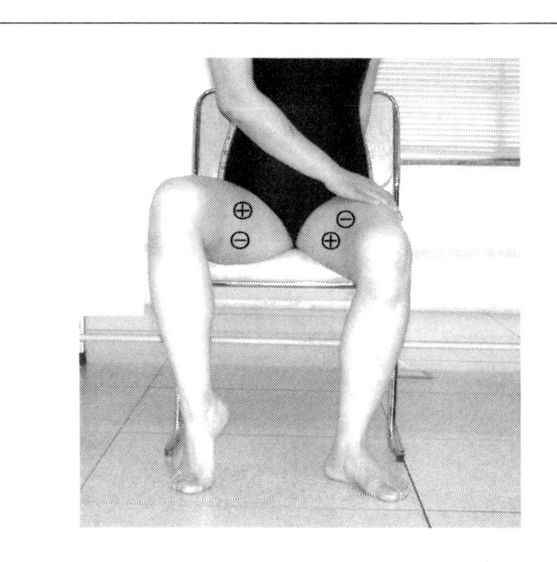

| 그림 4-2 | 상체의 비틀림과 내퇴부의 변화

㉯ 발꿈치가 올라가고 무릎이 내려가고 허리가 펴진다. 상체는 반대쪽으로 비틀어서 등에서 목까지 기분 좋게 움직인다. 이때 상체가 움직이면 발끝의 움직임은 더욱 커진다.

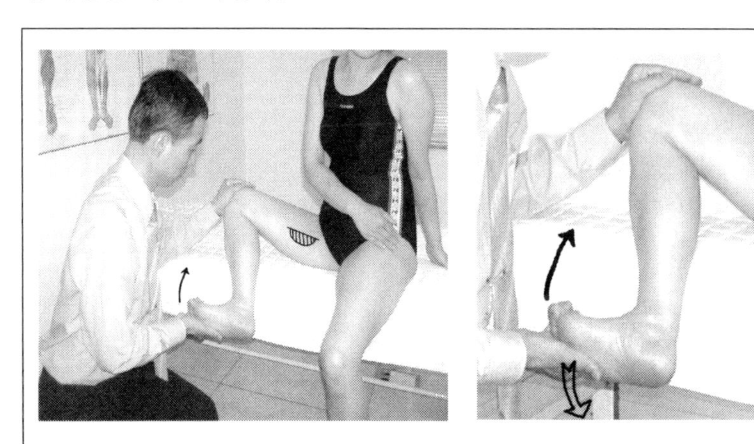

| 그림 4-3 | 대퇴 안쪽 뒷부분의 연동법

㉰ 발에 걸친 손가락의 힘을 발바닥 쪽에 향하면 발목이 젖혀지고 무릎이 펴지려고 한다. 이때 촉진하면 대퇴안쪽 중앙 능선의 두 쪽(그림 4-1의 ① 부분)이 이완해 오는 것을 알 수 있다. 충분하게 움직이면 그대로 역시 움

직이려 하면서 약 3초 연동시켜서 후~하고 숨을 내쉬면서 탈력시킨다. 한 번 호흡하는 사이를 두고 2~3회 행한다.

나. 바로 누운 자세에서 향한다.

① 받는 사람

바로 누워 치료 받는 사람의 발쪽에 앉고 받는 사람의 무릎을 구부리게 하여 무릎을 벌리고 발목을 조작하는 사람의 무릎에 얹는다(무릎을 구부리면 발목이 젖히기 쉽다). 반대쪽의 발은 무릎을 세워서 발바닥을 밟듯이 한다.

② 연동법

㉮ 발바닥 쪽에서 새끼발가락 쪽에 손을 얹어서 가볍게 저항을 걸면서 발끝을 새끼발가락 쪽에 돌리게 하고 발목, 발가락도 젖히게 한다(엄지발가락부터 젖히도록 지시한다).

㉯ 무릎이 내려가고 허리가 올라가고 무릎이 펴져서 허리도 움직인다. 이때, 반대쪽의 발이 버틸 수 있게 된다.

㉰ 충분하게 움직이면 더욱 발끝이 움직이는 범위가 넓어지기 때문에 저항을 조금 늦추어서 좀 더 큰 동작을 시킨다(연동이 되고 있기 때문에 크게 움직이는 여유가 생긴다). 그대로 약 3초 연동시켜서 후~하고 숨을 내쉬면서 탈력시킨다. 한 번 호흡하는 사이를 두고 3회 정도 행한다.

주의 이것은 특히 중요한 부위로 여기에서부터 허리에 연동해서 변형을 잡고 게다가 등에서부터 목에 연동해서 목의 움직임이 좋아지고 눈이 산뜻해지고 어깨, 팔의 움직임이 좋아진다. 대요근(No. 7)의 조작과 함께 중요한 곳으로 병행해서 향하면 한층 효과가 있다.

참고 [치료동작의 연동에 관해서]

이 부분의 조작은 발목의 동작으로부터 외에 허리의 조작(No. 7)으로 행하는 상체의 비틀림에서도 할 수 있다. 목, 등에 연동해서 여기부터 신경 지배를 받는 부위에 영향을 준다.

- 목을 뒤로 굽히면 아프다.
- 목을 돌리면 아프다. 잠을 잘 못 잤다.
- 손을 대면 손목이 아프다. 팔꿈치가 아프다. 등과 같이 국소만의 치료로는 낫지 않을 때에 놀랄 정도의 효과가 있다.

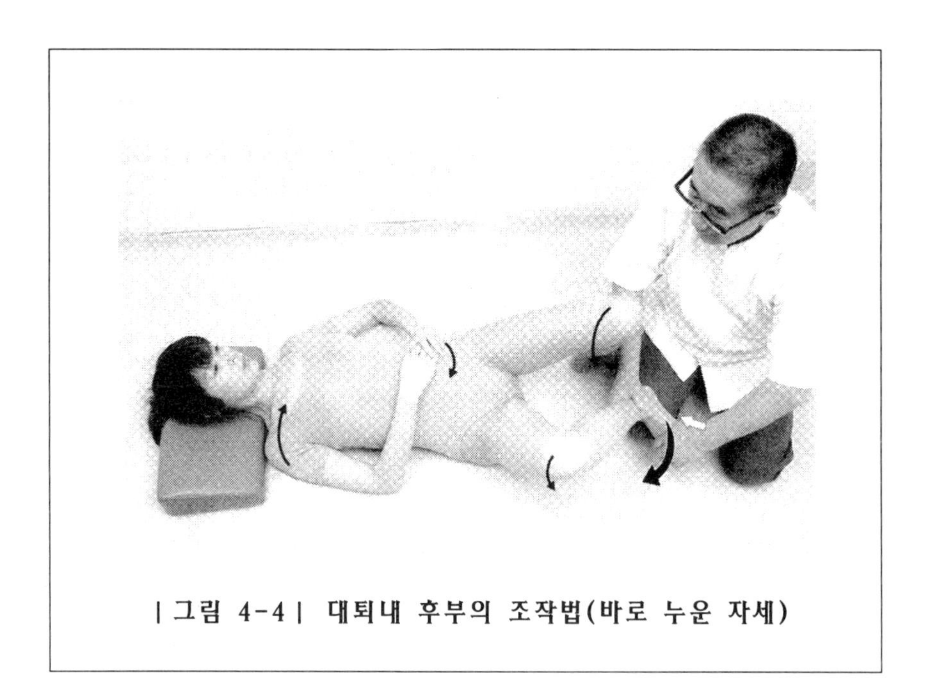

| 그림 4-4 | 대퇴내 후부의 조작법(바로 누운 자세)

③ 주의

발목의 움직임은 클수록 멀리까지 연동하기 때문에 강하게 누르지 말고(약한 저항) 될 수 있는 한 큰 동작이 되는 쪽이 좋다. 그리고 최후에는 무릎이 펴지고 상체를 비트는 동작도 할 수 있게 된다.

④ 증상 예

㉮ 고개를 뒤로 젖힐 수 없다.

32세 남. 교사. 최근 수년째 후부두(뒷머리)가 묵직하고 괴로워서 매일 고개를 뒤로 젖힐 수 없고 칠판에 글을 쓰는데도 높은 위치에 쓰는 것이 괴로워서 이제 고개를 들어서 위를 볼 수 없다고 생각했었다. 허리의 상태도 나빴기 때문에 다리, 허리의 연동법을 행했다. 특히 대퇴안쪽의 긴장을 없애자No. 4 (1)] 목의 뒤부터 어깨가 가벼워지고 '슷'하고 고개를 젖힐 수 있었다.

㉯ 경부의 이상

36세 남. 목의 통증이 좀처럼 좋아지지 않고 접골원에서 흉쇄유돌근에 따라서 테이핑을 했다. 그러던 중 오른 손을 잡을 때의 이상이 나왔다라고 한다. 이것은 경완장애이니까 허리의 이상이 당연히 있기 때문에 대퇴안쪽을 손가락으로 압박하자 통증을 호소했다. 우선 다리를[No. 4 (1)], 이어서 허리(No. 7)라고 생각해서 처리하고 받는 사람의 자세를 바꾸었을 때 목을 움직이게 하자 "가벼워졌다. 움직여도 통증이 없다"라고 말하기 때문에 여기까지로 조작을 종료했다. 너무나 싱거워서 맥이 빠져버렸다. 언제나 이렇게 간단하게는 되지 않지만 연동이 잘 들으면 의외로 효과가 있는 것이다.

㉰ 자동차의 충돌, 추돌 때 강한 충격으로 인하여 목이 앞, 뒤로 강하게 흔들려 생기는 장애

28세 여. OL. 고속도로를 운행 중 개가 길로 갈팡질팡하고 있었기 때문에 서행을 하던 중 뒤에서 부터 추돌되었다. 특히 왼쪽 뒤 목 부분부터 등 가운데에 걸쳐서 무겁다. 허리부터 발까지 묵직하고 괴롭다. 어디서부터 조작하면 좋을까? 연동의 기점을 찾기 위해 동작분석을 해보면

ⓐ 같은 쪽의 내퇴부[No. 4 (1)]가 긴장하는 동작, 즉 상체를 왼쪽으로 비트는 동작은 하기가 어렵다. 상체를 오른 쪽으로 비틀면 목의 움직임도 편하게 된다.

ⓑ 오른쪽의 허리(장골익)를 밀어내면 이상이 강한 부위의 반대쪽의 대요근(實-No. 7)이 이완하고 같은 쪽의 내퇴부[No. 4 (1)]도 풀어진다.

ⓒ 왼쪽의 발바닥부(No. 3), 제1중족골 경부 안쪽을 압박해도 목이 편해진다.

ⓓ 오른쪽의 대요근(No. 7)을 중심으로써 요배부(No. 9), 족저부(No. 3) 그리고 내퇴부[No. 4 (1)]의 처리가 필요하게 된다.

(2) 대퇴 안쪽 앞부분의 이완법(제4-2번 연동)

가. 의자에 앉아서 행한다.

① 받는 사람

조금 큰 의자에 약간 옆으로 앉아서 고관절을 벌리고 무릎을 구부리고 발목을 의자의 끝에서 조금 떨어뜨린다(발목의 동작을 방해하지 않도록 한다).

② 연동법

㉮ 발바닥 쪽에서 새끼발가락 뿌리 바깥쪽에 손가락을 치고 가볍게 손바닥으로 발바닥을 끌어당기듯이 저항을 걸면서 발끝을 새끼발가락 쪽에 돌린다(발목을 저굴하는 등 지시하지 않는 게 좋다).

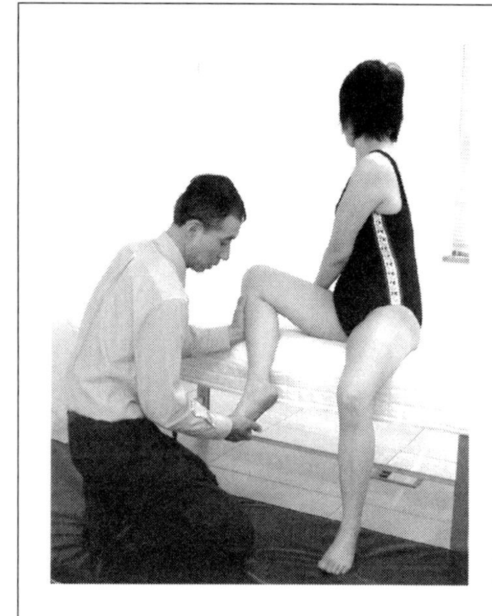

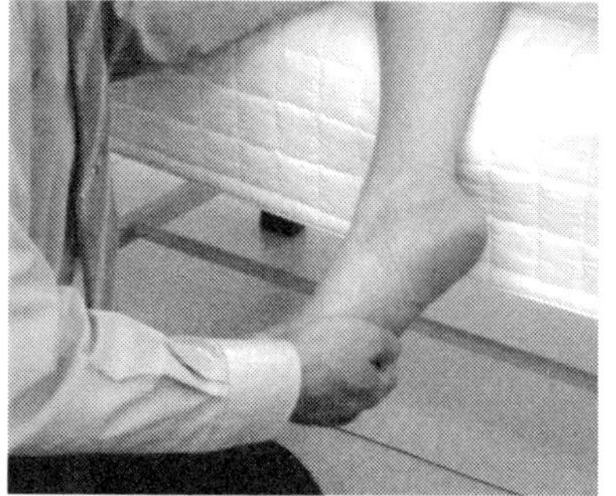

| 그림 4-5 | 내퇴 앞부분의 연동법

㉯ 발꿈치가 올라가고 무릎이 굽어지고 허리가 수축하고 상체는 같은 쪽으로 비틀리고 등에서 목까지 기분 좋게 움직인다.

㉰ 충분히 움직였으면 그대로 여전히 움직이려고 하면서 약 3초를 두고 후~하고 숨을 내쉬면서 탈력시킨다. 한 번 호흡하는 사이를 두고 2~3회 행한다.

참고

발바닥부분에 걸친 손을 잡아당기듯이(발등부로 향한다) 하면 발목이 바닥으로 굽고 무릎이 한층 수축해서 요골(장골)이 물러나고 반대쪽의 허리가 앞으로 나오게 된다. 즉, 상체가 같은 쪽으로 비틀려온다.

나. 바로 누운 자세로 행한다.

① 자세

앞에 나온 그림 4-4와 같은 모양으로 바로 누워서 받는 사람을 발쪽에 앉아서 받는 사람의 무릎을 구부리고 다리를 벌려서 발목을 조작하는 사람의 무릎에 얹는다(무릎을 보다 깊게 구부리게 하는 동작이 된다). 반대쪽의 발은 무릎을 세워서 바닥을 밟듯이 한다.

② 연동법

㉮ 발바닥 쪽에서 새끼발가락 쪽에 손을 걸치고 가볍게 저항을 하면서 발끝을 새끼발가락 쪽에 돌리게 하고 걸친 손으로 가볍게 앞으로 끈다(받는 사람의 무릎은 거기에 동반되어 구부려져 온다).

㉯ 무릎이 내려가고 발꿈치가 올라가고 무릎이 수축되고 허리도 수축된다. 이때, 반대쪽의 발의 버팀이 기능을 발휘해서 허리가 앞으로 나온다.

㉰ 충분히 움직이면 더욱이 발끝이 움직이는 범위가 넓어지기 때문에 저항을 조금 풀고 조금 더 큰 동작을 시킨다(연동이 되어 있으면 크게 움직이는 여유가 생긴다). 여기에서 약 3초를 두고 후~하고 숨을 쉬면서 탈력시킨다. 한 번 호흡하는 사이를 두고 약 3회 행한다. 이것으로 앞에 나온 그림 4-1의 내퇴 ②의 부분이 이완하고 무릎 통증, 특히 무릎 안쪽 앞부분의 통증이 해소된다. 또 여기는 선장관절부의 긴장에 관련해서 이것을 풀면 둔부(이상근)가 이완한다. 둔부에서 요선부로의 영향은 목 부분에까지 미치고 요배부에서 목의 움직임까지 편해지기도 한다.

참고

- 발목의 배굴 및 이 연동으로 이완하는 것은 대퇴박근, 반막양근, 봉공근, 반건양근 등 무릎을 구부리는 근육들이기 때문에 무릎 관절의 확장까지 관여하는 동작이 효과적이다.
- 발목의 저굴 및 이 연동으로 이완하는 것은 중간광근, 내측광근 등을 중심으로 한 무릎을 펴는 근육들이기 때문에 관절 마디의 굴곡까지 관여하는 동작이 보다 효과적이다. 대요근(No. 7)을 이완시켜도 허리의 동작통증이 없어지지 않을 때는 앞에서 서술한 내퇴부[No. 4 (2)]를 함께 조작하면 통증이 진정된다. 이것은 선장관절의 긴장에 관여하기 때문이다.

③ 증상 예

㉮ 엉덩이의 통증

37세 여 사무원. 눈 오는 아침, 눈을 치운 통학 길을 초등학생의 행렬을 피하면서 걷고 있을 때 눈 덩어리 위에서 미끄러져서 엉덩이를 찧었다. 그날은 타박정도로 2~3일 지나면 좋아질 거라고 생각하고 있었지만 일주일이 지나도 그것만이 아니고 허리부터 오른쪽 팔이 나른하고 움직이면 둔부통증이 있다. 접골원에서 전기치료를 해 보기도 했지만 10일이 지나도(미끄러진 지 약 20일) 좋아지지 않았다. 분명히 미끄러진 영향은 허리에 나오고 있다. 대퇴 바깥쪽에는 압통이 있고 허리의 후굴 동작이 좋지 않다. 의자에 앉아서 대요근(No. 7)과 요배근((No. 9) 게다가 서혜부, 장골의 테두리의 조작법을 해보았지만 역시 무겁고 답답한 느낌이 없어지지 않았다. 선장관절부에도 강한 압통이 있었기 때문에 의자에 옆으로 앉고 발목의 동작[No. 4 (2)]에서 연동시켜서 조작했다. 좌, 우 양쪽으로 나오고 있었기 때문에 양발에 대해서 행하고 이어서 발목의 배굴[No. 4 (1)]도 행했다. 이때 발가락에도 저항을 걸어서 상체의 움직임도 더해 준다. 여기에는 발바닥부(No. 3)도 포함되고 이것들의 상승효과를 겨냥한 것이다. 이것들로 허리는 아주 가벼워졌고 팔의 이상도 없어졌다. 상담 시 앉아서 이야기 들을 때의 자세를 보고 '미끄러져서만이 아니고 일을 하고 있을 때의 자세도 나빴기 때문은 아닐까'라고 추측했다. 역시 허리가 둥글게 되어 있었다.

선골측 가장자리를 압진하면 압통이 있는 것은 여기를 커버하도록 주행하는 이상근 및 대둔근이 긴장하고 있는 경우가 많다. 요통이 있는 경우 대개 선장관절부에 긴장이 있고 여기를 처리하면 통증이 꽤 편해진다. 선장관절부는 앞에서 서술한 「4. 대퇴에서 척추(경배부, 요선부) 연동」의 조작으로도 긴장이 없어지지만 국소의 연동법으로써 본 항도 유효합니다.

(1) 무릎을 반대 어깨 쪽으로 잡아당긴다.

가. 자세

받는 사람은 바로 누워서 한쪽 무릎을 세운다. 받는 사람의 옆쪽에서 발목과 무릎머리에 손을 댄다.

① 무릎을 가슴에 향해서 잡아당긴다. 무릎에 걸친 손은 안쪽으로 향하게 하고

발목에 걸친 손은 아래 바깥쪽으로 향해서 약하게 저항을 건다.

② 무릎을 충분히 끌어당기면 자연히 허리, 어깨, 팔이 움직인다. 그대로 3초를 두고 후~하고 숨을 내쉬면서 탈력시킨다.

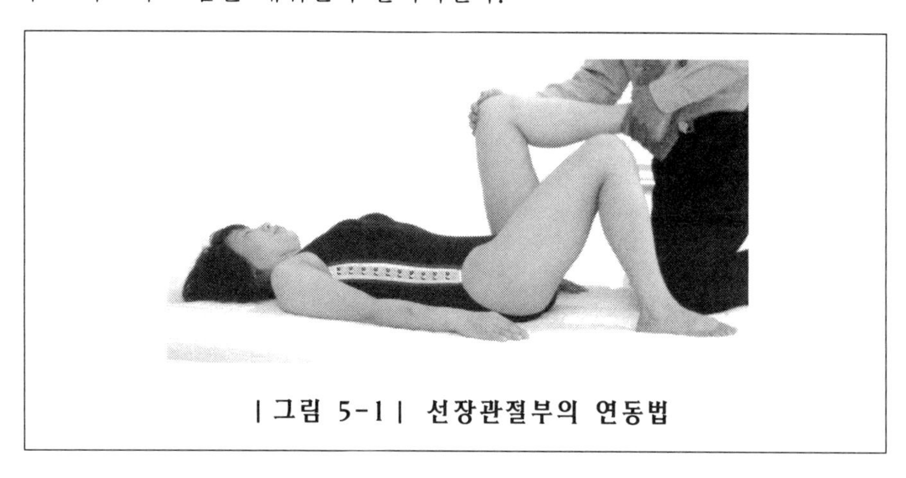

| 그림 5-1 | 선장관절부의 연동법

나. 주의

"무릎을 반대쪽의 가슴을 향해서 끌어당긴다"고 하는 것이 동작의 기본이 되지만 어려운 지시를 하면 받는 사람이 곤혹스럽다. "가슴에 끌어당긴다"고 하는 간단한 지시를 하고 저항에 의해 적정한 동작으로 교정한다는 것이 중요하다. 때로는 좀처럼 압통을 없애기 어려운 적도 있다. 이 부위는 요추신경의 지배를 받는 영역이기 때문에 대요근(No. 7) 및 요배부(No. 9)의 처리에 의해 허리의 변형을 잡는 것을 우선해 준다. 또 이 요선부에는 여러 가지 근이 있고 헷갈리기 쉬운 것도 있다. 부위와 저항의 각도 근이 다르면 동작법도 달라지지만 이 경우는 편한지 불편한지의 판단이 어렵기 때문에 어느 것을 바로 선택하는 가하는 것이 성패의 열쇠가 된다.

참고

선장관절부는 요통 등의 처치에 중요한 곳인데 단지 이것만으로는 결정적인 방법이 되지 않고 다른 것의 보조적 역할로써 예를 들면, (No. 7)과 (No. 9) 등을 병행하면 좋다. 선장관절 상위의 응어리는 거의 아래쪽으로 하위일 때는 차차로 위쪽에 강하게 저항을 건다. 이 각도에 주의한다.

다. 증상 예

① 엉덩이가 아프다.

38세 여 회사원. 요선부, 특히 엉덩이 위의 오른쪽(선장부를 가리킴)이 앉아 있는 것만으로도 아프다. 허리는 특별히 통증을 느낄 수 없다고 한다. 그러나 대퇴 바깥쪽에 압통이 있고 허리로부터의 영향이 있는 것이라고 판단하여 (No. 7, No. 9)를 행하고 환부를 압진하니까 아직 아프다. 그래서 [No. 4 (2)]를 행하자, 통증이 없어졌다. 허리의 변형이 주요원인이 되기 때문에 (No. 7), (No. 9)을 행한 후에 [No. 4 (2)]를 행하는 것이 좋다.

② 허리는 무겁고 머리도 무겁다.

52세 여 사무원. 앉아 있는 일이지만 허리가 짓누르듯이 괴롭고 둔부가 아프다. 머리가 언제나 무겁고 때때로 편두통이 있다. 대퇴 바깥쪽 부분에는 압통이 있고 허리의 동작이 그다지 좋지 않다. 선장관절부는 스치면 아프다고 한다. 게다가, 엎드린 자세로 중선골능의 양측을 보면 좌측에 세로 긴장이 있고 압통이 있다. 이것은 위 목 부분과 상관이 있어 두통을 유발하는 것이다. 요선부 조작의 순서로서 바로 누운 자세로 요측부의 조작을(No. 9) 행하고 다음에 의자에 앉아서 허리 부분의 처리(No. 7)를 하고 게다가 선장관절부[No. 4 (2)] 및 요선부에서의 처리(No. 6)를 행하면 허리도 가벼워지고 머리도 가벼워졌다.

MEMO

6 6번 연동 | 요선부에서 상경부 연동

요통, 두통, 견비통, 손과 팔의 이상 등의 증상에는 선극근에서 부터 경부까지의 관련이 중요하다. 목과 어깨의 장애에서 다른 부위의 조작으로 잘 치료되지 않을 경우에는 경부에 경결이 있다.

따라서 요선부를 옆에서 만져주면 중선골능의 옆을 종으로 이어져있는 선극근이 긴장되어 있다. 만지면 압통이 있는 경우도 있으며 이것을 이완시키기 위해서는 발의 움직임부터 연동시켜서 처리하면 된다.

보조동작으로서 허리에서 발을 반대방향으로 움직이게 한다. 발의 움직임부터 허리도 움직이게 하고 이 부분의 긴장이 해소되면 경부의 긴장도 소실된다.

경추, 흉추, 요추까지 연관부가 움직이기 때문에 경부의 경결의 위치에 따라 발끔치를 옆으로 눕히는 방향이 달라질 수 있다.

촉진하면서 선택, 조작한다.

좌우, 내외의 네 종류로서 진단한다.

(1) 요선부의 조작법(발꿈치를 눕힌다.)

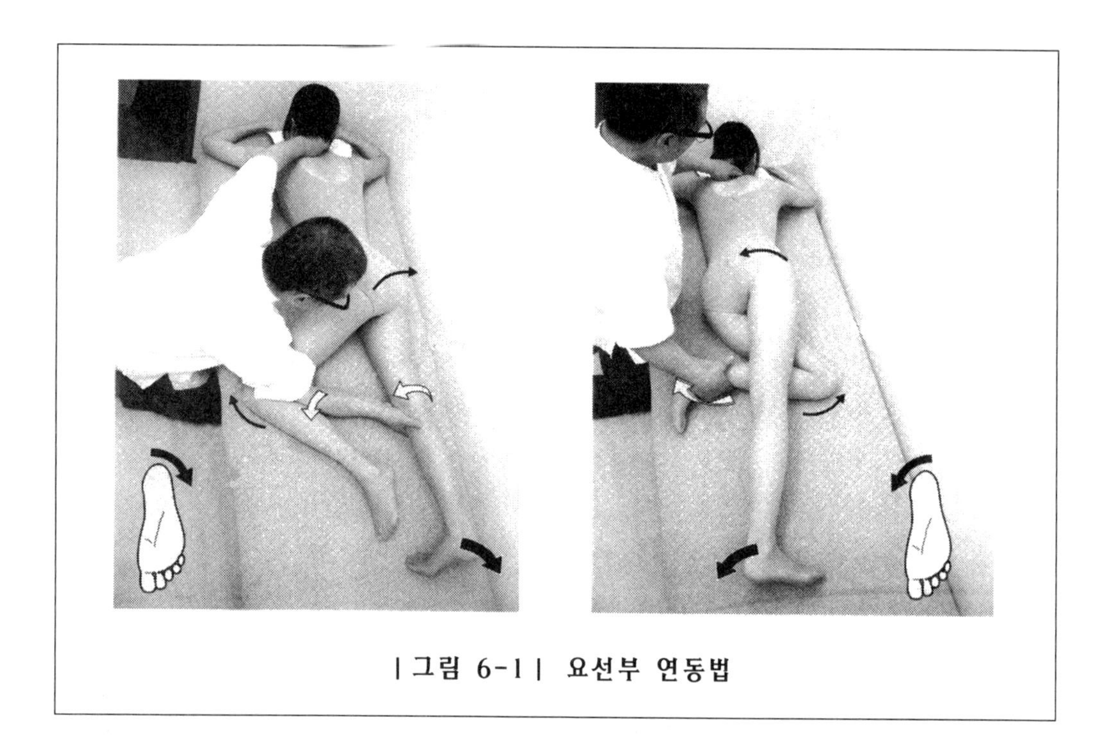

| 그림 6-1 | 요선부 연동법

가. 자세

수혜자는 엎드린 자세에서 양 다리를 펴고 후두부에 아픔이 있는 분, 두통이 있는 분, 요선부(선극근)에 아픔이 있는 분의 발끝을 세우게 한다.

나. 연동법

① 경추 측면에 통증이 있는 부분을 촉진하면서 수혜자의 발뒤꿈치를 안쪽으로 또는 바깥쪽으로 젖혀봐서 편한 쪽을 선택한다. 한 쪽 손은 경추를 촉진한다. 선극근을 촉진해 봐도 좋겠지만 목의 윗부분이 알기가 쉽다. 외측의 경우 한 쪽 손으로 무릎 쪽으로 저항을 주고 반대편 다리의 움직임에도 그림 6-1과 같이 하면 한쪽 손으로는 촉진이 가능하다. "후~"하고 편안해지는 자세를 보면 확인이 종료된다.

② "허리도 움직이세요"라고 지시를 하면서 손으로 다리 부분을 가볍게 저항을

준다. 편안한 쪽으로 충분히 옆으로 제치며 허리도 옆으로 비틀면서 전신의 움직임이 이루어지면 끝이다. 그대로 약 3초 연동시키고 "후~"하고 숨을 내쉬면서 힘을 빼게 한다. 2호흡 정도 지난 후에 3회 정도 시술한다.

참고

- 허리를 비틀어 짜는 것과 같이 발부터 허리까지 움직이게 하는 것이 좋다.
- 발꿈치를 옆으로 누인다(내외). 이때 반대편 다리의 모양은 허리의 움직임을 방해하지 않도록 허리도 잘 움직일 수 있도록 한다.
- 경추부의 관찰 : 어느 쪽 발뒤꿈치를 제쳤을 때 편안해지는 가를 촉진해가며 시술한다. 같은 쪽만이 아니라 오른쪽 다리의 내외 왼쪽다리의 내외 모두 4종류에서 가장 좋은 방법을 선택한다.

유도어 발끝을 바닥에 붙이고 발꿈치를 안쪽이나 바깥쪽으로 넘겨보십시오. 어느 쪽이 기분이 좋습니까? 기분이 좋은 쪽 또는 경부의 긴장이 해소되는 쪽의 발꿈치를 넘겨보아 허리로부터 엉덩이, 반대편 다리까지 움직이게 한다. 목, 등 부분의 통증이 없어지며 충분히 움직여지면 점점 그대로 1, 2, 3 ... 네. 후~하고 숨을 내쉬면서 힘을 뺀다. 2호흡 정도 기분 좋게 간격을 두고 한번 시작한다.

주의 1. 이때 경부, 등 부위에 발견된 촉진 점에서 이상이 해소되었다는 것을 확인하고 어느 다리인지 발꿈치는 어느 쪽으로 제쳐야 되는지를 선택한다.
2. 조작을 할 때 한 쪽 손으로 다리와 무릎에 저항을 주며 다른 한쪽 손으로 경부를 촉진한다.

MEMO

7

7번 연동 | 대요근에서 상하로 연동

요통, 허리가 나른하다 등의 이상감각은 모두 허리 부분 뒤쪽에 나타난다. 따라서 허리 뒤쪽에 집중하는 경향이 있기 때문에 좀처럼 낫지 않고 고생하고 있는 것이 요통의 현상이다. 자세 · 동작은 몇 갠가의 근육의 벨런스로 이루어져있는데 그 일부에 긴축이 있고 자세 · 동작의 성립이 곤란하게 되었을 때 경고반응으로써 요통이 일어난다. 이 통증이나 위화감의 원인이 되는 비뚤림을 허리에 일으키는 근본은 본 항에서 거론하는 대요근을 주로 두에 서술하는 외복사근(No. 8)이 관여하는 것이 많고 그 외에도 몇 갠가의 관련되는 곳이 있는데 거의가 이 대요근의 조작으로 해결된다. 대요근은 유일하게 요추에서 일어나는 다리의 동작근으로 복강내를 통해서 고관절 앞부분(대퇴골 소전자)에 이르는 강하고 큰 근이기 때문에 지압, 마사지의 명인이라도 이것에 접촉할 수 없다. 이 근을 처리하기 위해서는 '연동'이라고 하는 몸의 일부를 움직이게 하는 것에 의해서 심층근이나 원격부위라도 관련하는 곳을 조정할 수 있는 연동법이 좋다. 자세가 나쁘다거나 편중된 동작을 계속하면 이 근육이 긴장(피로)하기 때문에 평소에 잘 주의했으면 하는 것이다. 동작분석 및 처리 방법은 여러 가지가 있고 그 몇 갠가를 여기에 거론하니까 대요근이 나쁜 쪽, 관련부위의 상황에 따라서 선택해 준다.

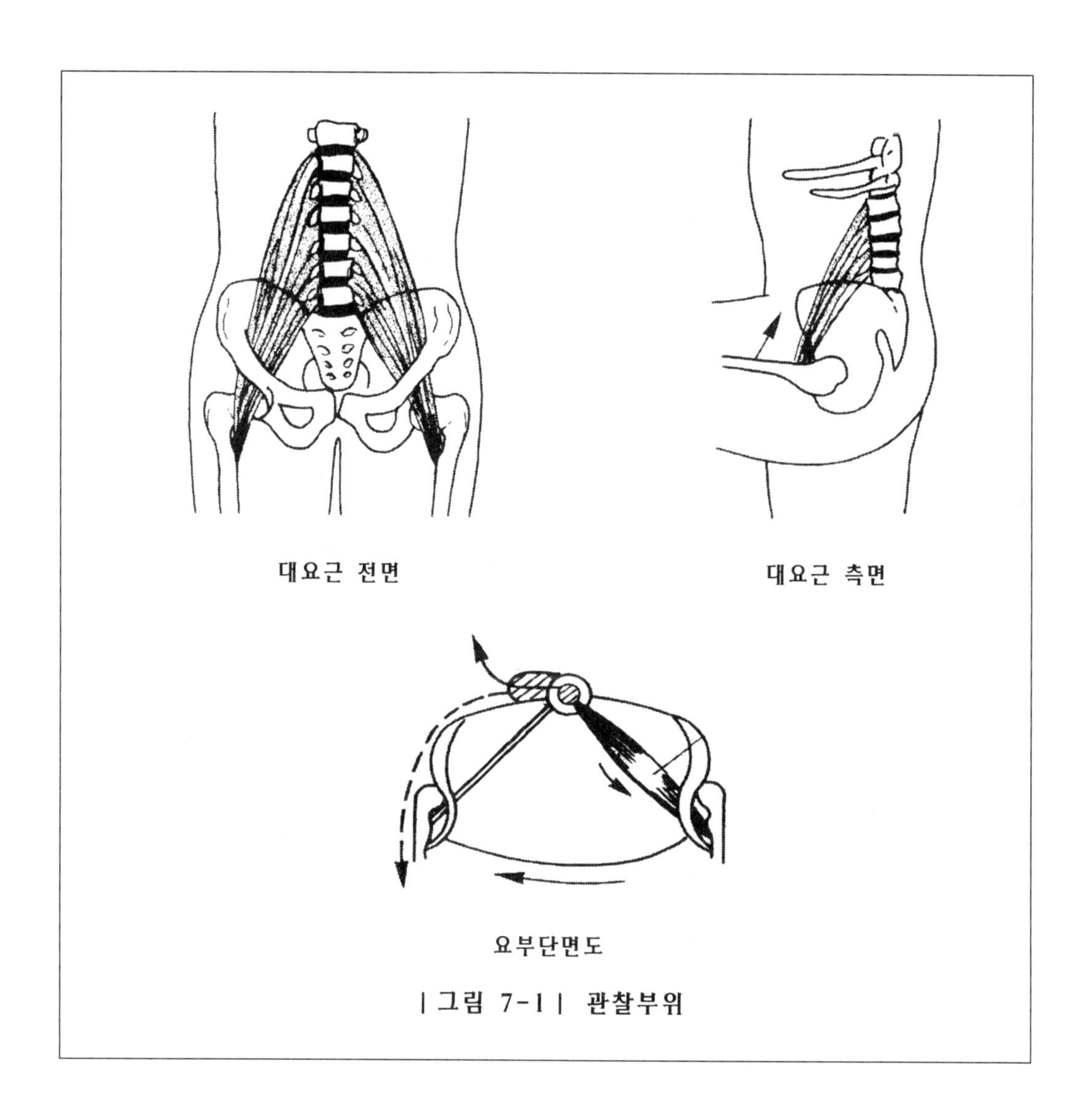

| 그림 7-1 | 관찰부위

(1) 대요근의 동작진료

허리, 다리가 아픈 쪽이 나쁜 것은 아니다.

① 의자에 앉아서 좌우의 무릎을 들어보고 들기 어려운 쪽이 나쁘다. 그러나 골반뼈 날개 바깥쪽, 장골근, 대퇴직근 등에 긴장이 있으면 이대로는 나오지 않을 때도 있다.

② 의자에 앉아서 허리를 좌우로 비틀어 보면 돌리기 어려운 쪽이 나쁘다. 단, 요

측부에 긴장이 있으면 이대로는 나오지 않을 때도 있다.

③ 바로 누워서 발을 폈을 때 발이 벌어지는 쪽이 아니고 반대쪽이 나쁘다. 대요근의 긴장에 의해 반대쪽의 요배부에서 둔각부의 근육에 긴장이 일어나면 편안한 자세로 서 발이 밖으로 돈다. 이때 발이 벌어져 있는 반대쪽(대요근이 긴장해 있는 쪽)의 무릎을 끌어안으면 벌어진 발이 올라가게 된다.

참고

대요근이 긴장하고 있는 쪽이 벌어지는 경우도 있다. 이것은 벌어져 있는 쪽이 전상이고 서 있는 쪽의 내퇴부[No. 4 (2)]가 긴장하고 있을 때이다. 이때는 서 있는 쪽의 반대쪽 대요근(No. 7)과 요배부(No. 9)를 조작하면 발로 영향을 준다.

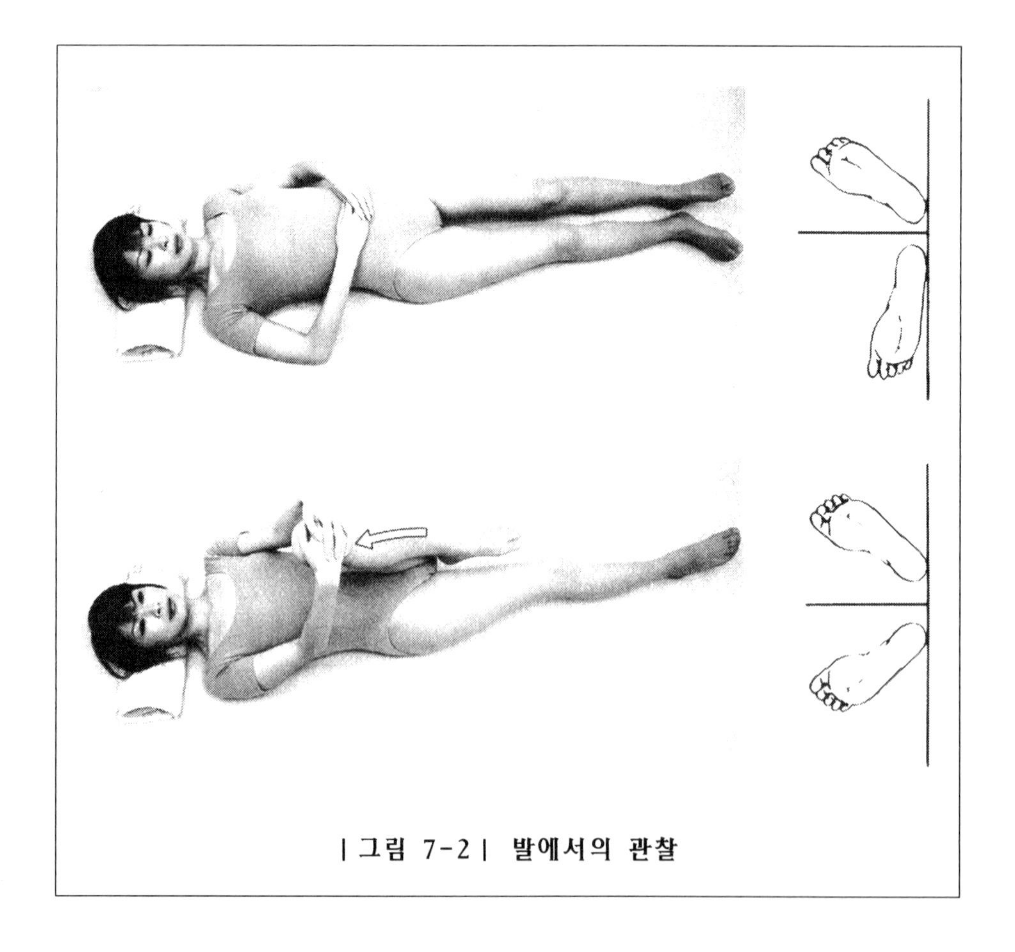

| 그림 7-2 | 발에서의 관찰

④ 움직인다거나 혹은 정지했을 때에 허리 다리가 아픈 쪽이 나쁘지 않고 반대쪽의 대요근이 나쁘다. 긴장한 대요근이 요추를 견인하기 때문에 대각의 척수후근부의 신경이 압박된다거나 견인에 대항하여 대각의 요배부가 긴장하고 긴장부에 관련된 각부에 이상이 나타나는 경우가 많다. 어깨, 팔 그 외에 관해서도 같다.

⑤ 의자에 앉아서 자세를 바로 하고 좌우 대퇴의 안쪽을 찾아보면 결리고 굳어 있는 쪽(대퇴이두근이 긴장해 있다)이 있으면 반대쪽의 대요근이 긴장해 있다.

참고

잘 모를 때는 가볍게 발톱 끝으로 바닥을 밟고 발꿈치를 조금 띄워 보면 대퇴후부의 굳음을 잘 안다(그림 7-3). 굳어 있고 아픈 쪽 다리는 안쪽으로 당기고 반대쪽은 앞쪽 밖으로 내밀면서 연동시킨다(각도, 높이에 주의).

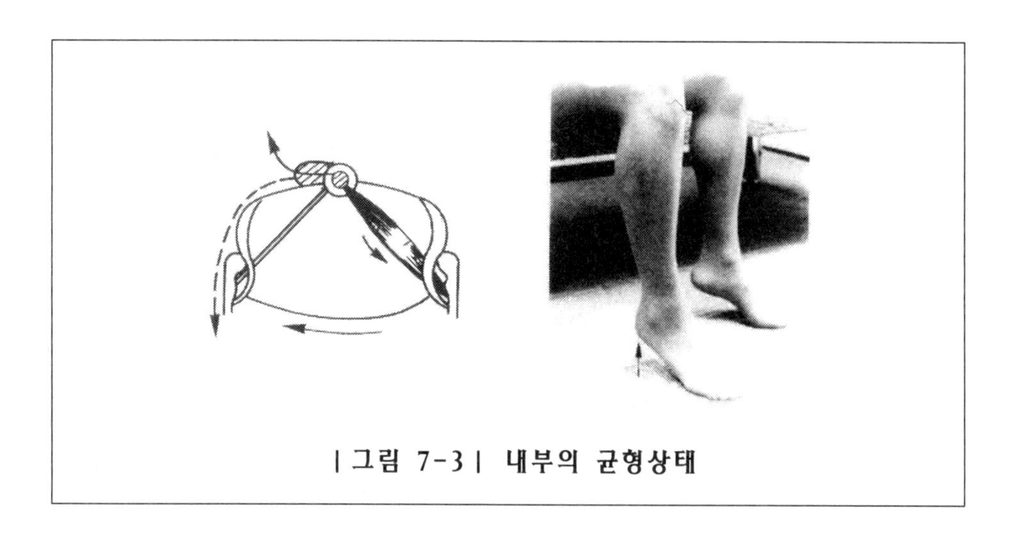

| 그림 7-3 | 내부의 균형상태

(2) 대요근의 연동법(제7-1번 연동)

의자에 앉아서 무릎을 밀고 당긴다.

가. 진단방법

① 수혜자를 의자에 앉히고 대요근과 연관된 동작을 하게 해 본다. 근력이란 근

육을 수축시키는 힘이지 미는 힘은 아니다. 무릎을 좌우 번갈아 가며 밀어내보고 밀어내기 어려운 쪽은 반대편 대요근의 힘이 부족하기 때문이며 이 경우 반대편 대요근의 상태가 나쁘다고 진단 할 수 있다.

② 대요근의 이상과 관련해서 요배부 기립근이나 대퇴이두근을 촉진하여 긴장되어 있다면 이는 반대편 대요근의 상태가 나쁜 것으로 진단한다. 이것은 요통, 좌골신경통 등에서 보여지는 현상이다.

나. 연동법

대요근의 주행각에 맞추어서 무릎을 바깥쪽 아랫방향으로 밀어내고 동시에 반대편의 무릎을 당긴다. 이것으로 긴장되어 있는 대요근을 스트레칭 시킨다.

① 의자에 앉아서 무릎을 벌리고 밀어내기 쉬운 쪽의 무릎을 앞으로 밀어내게 한다. 이때 수혜자의 밀어내는 무릎에 시술자는 안쪽 상향으로의 저항을 가해준다(대퇴골 소전자에서 요추방향).

② 반대편 끌어당겨 넣기 쉬운 무릎에는 바깥쪽에서부터 무릎아래쪽에 손가락을 대고 가볍게 당겨내면서 저항을 건다(요추에서 무릎 앞 방향).

③ 미는 저항 대신에 시술자의 무릎을 세워서 비스듬하게 저항을 가하면서, 한쪽 손의 계지각을 비교해서 연동상태를 직접 확인해가면서 진행 할 수도 있다(그림 7-4).

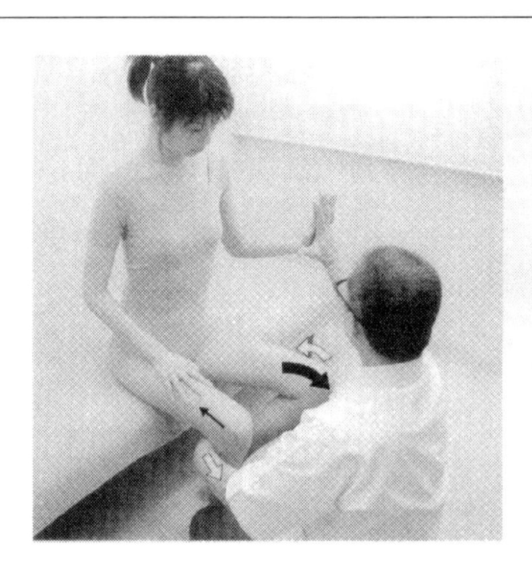

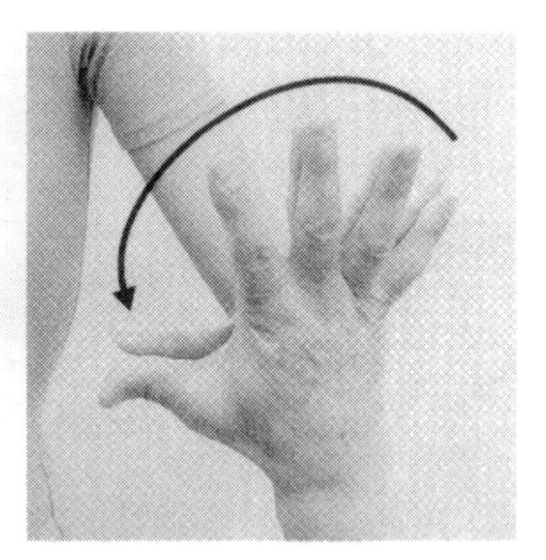

| 그림 7-4 | 무릎 운동의 유도와 계지각의 비교

(3) 발 관절의 신전(제7-2번 연동)

- 발의 안쪽 굴림과 바닥으로 굽힌다(저굴).
- 엄지발가락을 젖혀서 앞발바닥 내부를 안, 아래쪽으로 누른다.

가. 받는 사람의 자세

의자에 얕게 앉은 자세에서 허리 동작을 잘 하기 위해서는 한쪽의 무릎을 굽히는 쪽이 좋다. 어깨는 함께 움직이지 않도록 몸을 일으키며 양 손을 뒤쪽에 대는 쪽이 보다 한층 허리로의 연동이 잘 된다.

나. 연동법

그림 7-5와 같이 받는 사람의 아픈 쪽의 다리를 시술하는 사람의 대퇴부에 얹고, 발꿈치가 대퇴 바깥쪽에 걸치도록 두고(발목의 커브와 다리의 커브가 일치하도록) 그 발등을 넘어서 제1 중족골두부 안쪽에 중지를 가볍게 걸친다. 약지, 새끼손가락은 받는 사람의 발가락이 흔들리지 않도록 얕게 걸쳐 예방한다. 다음의 유도어와 같이 받는 사람에게 말을 걸면서 편안하고 큰 동작을 시킨다.

① 발목을 안 아래로 펴게 하고 다 폈으면 저항을 새끼발가락 쪽으로 향한다. 그림 7-5의 동작이 더해지면 발이 당겨지는 것은 없다. 무릎, 대퇴, 허리, 등 제각기 기분 좋게 몸을 펴고 손을 치켜 뻗듯이 늘린다. 이때, 발목의 움직임이 주가 되도록 발등에서 걸었던 손가락은 발에 말려 들어가듯이 된다.

② 충분히 다 늘렸으면 걸었던 손의 손목을 젖혀서 되감듯이 하고 그림 7-5처럼 발목을 얹은 다리를 밖으로 돌려서 발꿈치에 저항을 걸고(그림 7-5) 그대로 약 3초 연동시키고 후~하고 숨을 내쉬고 탈력시킨다. 천천히 한번 호흡하는 사이를 두고 약 3회 행한다.

유도어 "발목을 안쪽으로 펴고 무릎, 다리, 허리, 등도 펴고 다시 한 번 발목을 쫙 늘리고 그대로 1, 2, 3, 후~하고 숨을 내쉬면서 힘을 뺍니다. 천천히 한번 호흡하는 사이를 두고 다시 한 번 해 봅시다."

다. 주의사항

① 환자의 발끝은 엄지발가락 뿌리 안쪽에서 내측 아래쪽으로 누른다. 이 각도를 잘못하면 연동하는 곳이 잘못되고 오히려 나빠지는 경우도 있다. 만일 직각 아래로 늘렸을 때는 손에 의한 저항을 약간 옆으로 향하게 하고 안쪽에 깊게 늘린 것에는 저항을 바깥위로 향하게 하도록 해서 발이 향하는 각도를 교정한다.

② 발가락은 잡는 동작을 하면 다리가 당기는 경우가 있기 때문에 젖혀서 엄지발가락 뿌리로 누른다. 엄지발가락 안쪽에 힘을 거는 동작이 중요하다.

③ 이 동작을 하면 허리가 아픈 사람 혹은 효과가 잘 나지 않는 사람에게는 반대쪽 외복사근과 요측부(No. 8)의 압통의 유무를 체크하고 이 처리를 먼저 행해준다. 여기에 긴장이 있으면 허리가 충분히 펴지지 않고 운동이 불충분하기 때문이다.

④ 대퇴부[No. 4 (1)]에 긴장이 있으면 발끝의 내전, 바닥으로 굽히는 동작이 나쁘기 때문에 허리의 동작이 나쁘고 연동되기 어렵다.

라. 대요근의 상태로부터 요통을 검증

요통, 경완부의 이상, 발 다리 부분의 이상은 대요근의 처리하는 것에 의해 해소되는 것을 서술해 왔지만 어떤 때에 어떤 방법으로 하는 것이 효과적인가라고 하는 문제는 여러 가지 '진단방법'이 있지만 다시 몇 가지 예를 들어서 검증해 본다.

① 요통이 있는 사람에 관해서

㉮ 의자에 걸터앉아서 대퇴의 안쪽(대퇴이두근)을 찾아보면 뻐근한 긴장이 있고 집어서 눌러보면 통증이 있다. 이때는 의식하지 않으면 대개 허리가 둥글게 되기 쉬운데 좋은 자세는 아니다. 허리를 둥글게 해서 앉을 때와 허리를 펴서 앉을 때는 대퇴후부의 긴장, 손가락이 벌어지는 각도 등에 확실하게 차가 나기 때문에 늘 주의했으면 하는 것이다.

㉯ 의자의 끝에 한쪽 발을 얹고 무릎을 끌어안듯이 한다. 허리에 통증이 나타나는 같은 쪽의 무릎을 끌어안는 것보다도 반대쪽의 무릎을 끌어

안는 쪽이 허리는 편하게 된다. 대퇴 안쪽의 긴장이 사라져 있는 경우는 대요근의 장력이 저하해 있는 자세가 되어 있기 때문이다.

㉰ 의자에 앉아서 장골익의 아래를 안, 위쪽으로 압박하면 반대쪽 대퇴의 안쪽이 이완해 온다.

㉱ 앞에서 설명한 연동법에서 발목을 똑바로 바닥으로 굽히는(저굴) 경우 똑바로(위쪽으로) 저항을 걸면 대퇴 안쪽의 긴장은 해소되지 않는다. 발끝으로의 저항을 약간 바깥쪽으로 향하고 되감듯이 저항(동작중)을 걸 때 발끝의 동작이 약간 안쪽으로 향하면(내전, 저굴 : 안쪽 굴림+바닥 굽힘) 긴장이 없어진다.

㉲ 위에 기술한 ㉱의 형태로 약 3회 반복한 후에는 긴장이 없어진다.

㉳ 이 연동법에서 발목이 움직이는 방법(유도의 방법)이 제대로 되느냐 안 되느냐에 영향하는 것이 대퇴 안쪽의 긴장, 혹은 손가락의 벌어지는 것으로 알 수 있다. 그리고 이 경우는 환자의 반대쪽의 대요근이 영향을 주고 있는 것도 빠뜨릴 수 없는 사실이다.

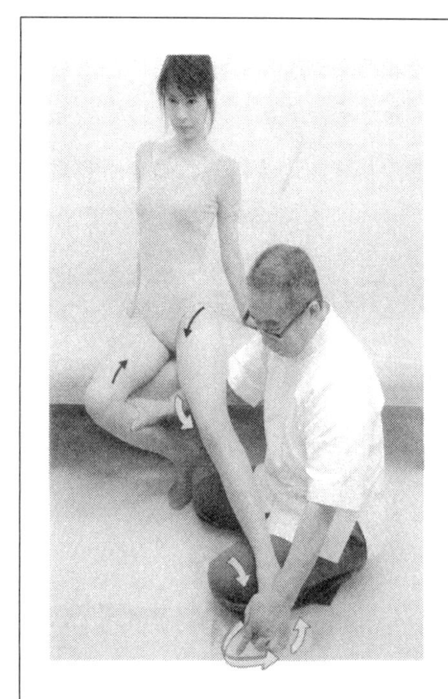
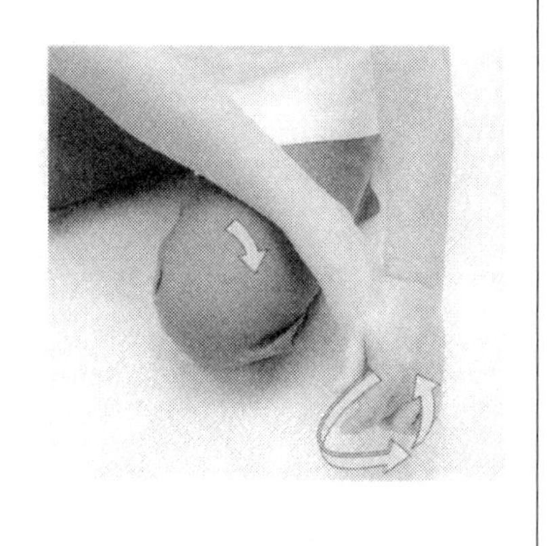

| 그림 7-5 | 발목의 움직임에서의 연동

(4) 의자에 앉아서 허리를 돌린다(제7-3번 연동).

의자에서도 계단에서도 어디에서도 좋다. 뒤쪽에 손을 짚는 것이 힘들다던가 그다지 움직이지 않는 사람에게는 이 방법이 좋다. 예비조작(No. 8)을 행하고 나서 하는 쪽이 좋고 간단하게 할 수 있다.

가. 연동법

① 의자에 앉아서 허리를 좌우로 비틀어서 돌리기 어려운 쪽의 발로 발꿈치에 안쪽위에서 무릎에 바깥 위에서 손을 걸치면 발끝으로 버티고 발꿈치를 안쪽으로 무릎을 바깥쪽으로 내민다.

② 들어 올린 발꿈치에 손으로 안쪽에서 바깥 아래로 향해서 저항을 건다.

③ 무릎머리가 밖으로 향하기 때문에 여기에 손을 대고 가볍게 안쪽으로 누른다. 이때, 앞발바닥 엄지발가락 쪽(중족지절관절)이 바닥을 밟게 된다.

④ 아울러 장골을 앞으로 밀어내듯이 한다. 상체를 지나치게 비틀면 외복사근, 내복사근이 긴장하고 장골이 앞으로 나오기 어렵다. 이때의 동작을 해석하면 엄지발가락으로 버티고 발꿈치를 올리고 무릎머리의 밖에서 저항이 걸리면 무릎이 바깥위로 움직인다(시동).

⑤ 허리(장골)가 반대쪽으로 비틀린다(이 방향을 잘못해서 같은 쪽으로 비틀면 무릎, 발꿈치의 저항이 불편하게 되고 동작에 힘이 들어가지 않는다).

⑥ 발꿈치가 안쪽 위로 움직인다(발꿈치에 바깥쪽에서 저항을 걸어도 안쪽 아래쪽에서 위쪽으로 저항을 걸어도 동작이 흩어져서 불쾌감을 동반한다).

⑦ 같은 쪽의 골반 뼈가 앞으로 나오도록 허리를 돌린다.

나. 연동점에서 본 연동법의 해석

대요근의 긴장에 의해 허리가 아플 때에 요배부가 아픈 쪽으로 허리를 비틀고 장골을 밀어내는 연동법을 행해서 요점을 검색한다.

① 앞에 기술한 연동법에서 무릎에만 저항을 걸어도 굳음이 조금 부드러워지는 정도이다.

② 또 앞에 기술한 연동법에서 무릎에 안 아래쪽이면 발꿈치에 바깥 아래쪽에 저항을 걸면 거의 이완한다.

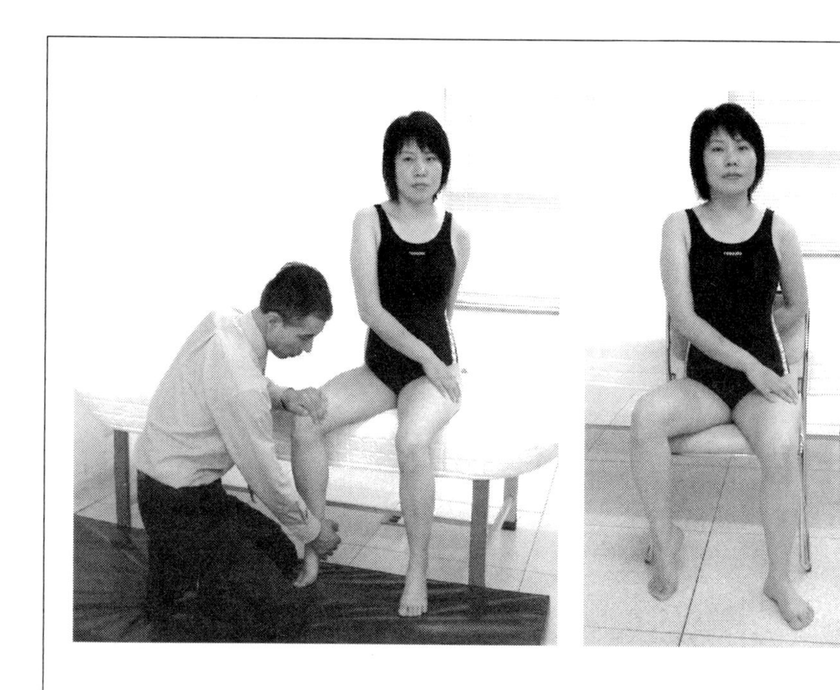

| 그림 7-6 | 발에서의 연동 회선과 부분

③ 또 같은 식으로 만약 무릎과 발꿈치에 바깥 위쪽으로 저항을 걸면 변함없이 긴장하고 있다.

④ 같은 식으로 무릎과 발꿈치에 아래쪽으로 저항을 걸어서 게다가 허리를 발의 반대쪽으로 비틀 때 완전히 이완한다.

⑤ 같은 식으로 허리를 발의 같은 쪽으로 비튼다. 변함없다.

⑥ 상체만 편한 쪽으로 비튼다. 긴장은 어느 정도 이완하고 있다. 이상의 상태에서 보고 이 연동법에서는 무릎에 안쪽 아래쪽의 저항을 거는 것만이 아니고 발꿈치에는 밖 아래쪽의 저항을 거는 쪽이 좋고 허리도 발과 반대쪽으로 비트는 것이 좋다. 허리를 비트는 것만으로도 효과가 있고, ④는 대요근이 이완하는 동작이고 반대쪽의 요배근을 이완시키는 동작도 되는 중요한 것이다. 발꿈치, 허리로의 저항의 방향도 아래쪽이 좋다는 것에도 주의했으면 한다. 연동은 전신의 움직임의 조화이기 때문에 기분 좋은 동작은 일사불란한 규칙 안에서 일어난다. 동작 중에 후~하고 힘을 뺄 때 불쾌감이 일어나는 동작에 주의해서 행해준다.

(5) 의자에 앉은 자세로 다리를 눌러 내린다(제7-4번 연동).

가. 의자에 앉아서 무릎을 교대로 올려보고 어느 쪽이 올라가는가 올라갈 때 부드럽지 못한 느낌이 있는가를 본다. 허리, 다리의 아픈 쪽이 '올리기 힘들다'라고만 단정할 수는 없지만 올리기 힘든 쪽이 요추에 변형을 일으키는 원인이다. 대요근의 작용은 무릎을 올리는 것, 다리를 약간 안으로 굴리는 것이기 때문에 올리기 힘든 쪽의 다리에 관해서 눌러 내리는(하기 쉬운 동작)것을 시킨다.

나. 대퇴이두근의 굳은 쪽의 반대쪽을 눌러 내린다.

다. 연동법

① 올리기 어려운 무릎을 한쪽 팔을 무릎 아래에 넣고 손을 반대쪽 무릎에 얹어서 지탱하고 이것을 저항함으로서 가볍게 눌러 내리게 한다.

② 다른 손을 다른 다리의 무릎에 얹고, 무릎 머리에 가볍게 안쪽으로 저항을 걸면 좋다. 그림 7-7 참조(이때 환자의 누르는 무릎은 아래, 밖으로 향하는 동작이 나온다. 저항을 무릎의 바깥쪽으로 향하면 눌러 내리기 어렵다).

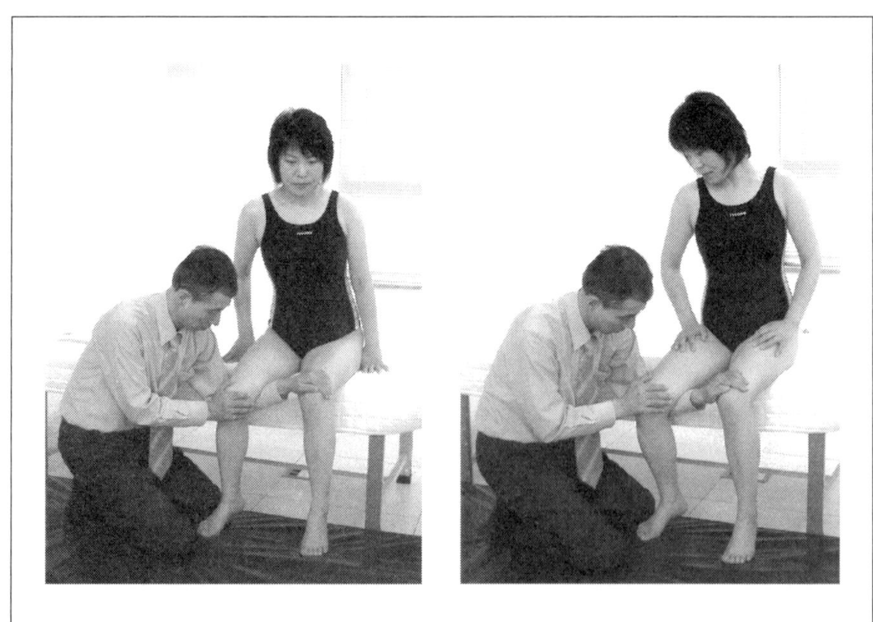

| 그림 7-7 | 다리를 눌러 내린다.

충분히 눌러 내려서 허리가 앞으로 나오고 상체까지 움직일 때 약간 저항을 세게 무릎 안쪽으로 향한다. 이대로 약 3초를 두고 후~하고 숨을 내쉬면서 탈력시킨다. 한 번 호흡하는 사이를 두고 2~3회 행한다.

눌러 내리고 있을 때 반대쪽의 대퇴이두근은 풀려온다. 이후 올리기 어려운 무릎이 같이 올라가게 되면 좋다. 허리도 편해진다.

이상에 열거한 중에서 특히 No. 7-1번과 No. 7-4번 연동은 자주 체크할 수 있고 어디서도 할 수 있기 때문에 편리하다.

본 항은 위에도 아래에도 광범위하게 연동해서 다음과 같은 이상이 해소되기 때문에 중요한 곳이다.

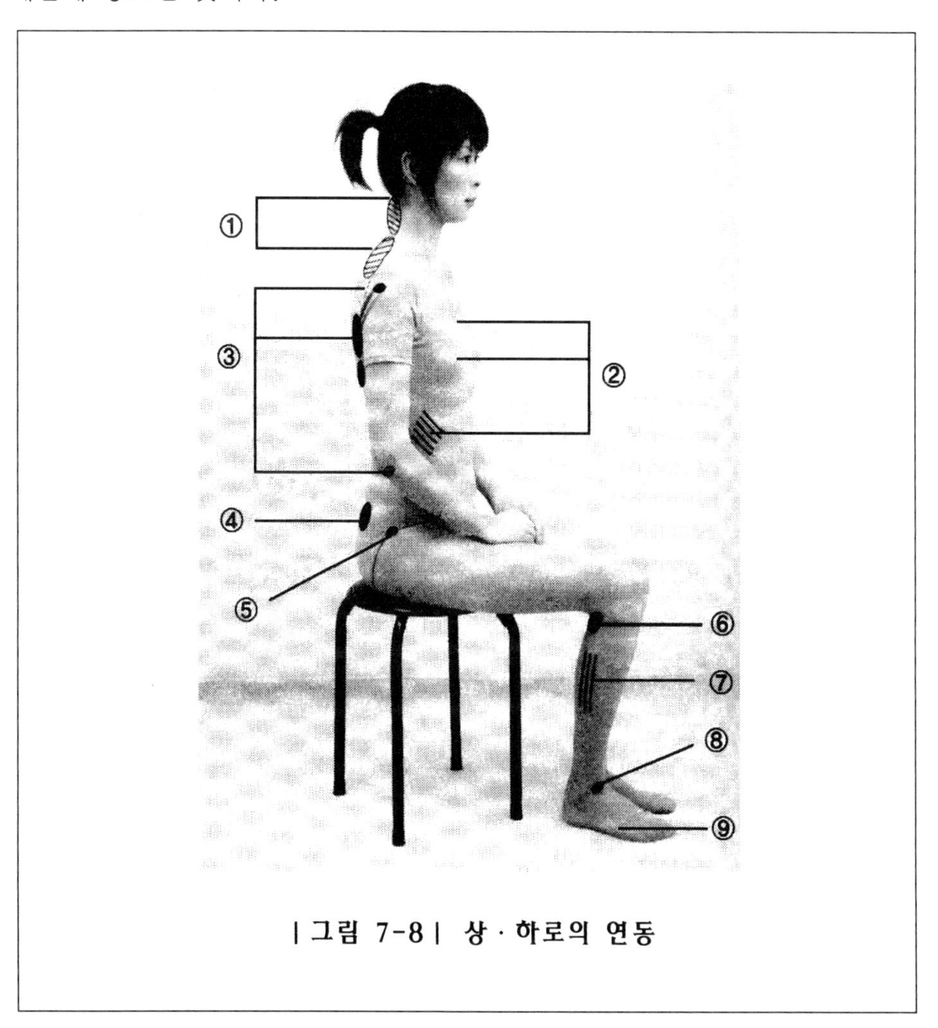

| 그림 7-8 | 상 · 하로의 연동

❖ **요통일반이 해소**

분류	위로 연동해서	No.	아래로 연동해서	No.
해소되는 증 상	어깨 결림	①	둔부의 통증(좌골신경통)	④
	잠 잘못 잔 것	①	고관절 부분의 통증	⑤
	경추의 편타성 손상	①	무릎의 통증	⑥
	흉부의 통증	②	하퇴의 땅김, 통증, 저림	⑦
	복부의 긴장	②	발목의 염좌통	⑧
	어깨, 팔꿈치, 손목, 손가락의 통증	③	발의 통증, 저림, 땅김	⑨

라. 증상 예

① 요통 외

57세 남. 대형자동차 운전기사. 요통과 목이 아프다. 1년 이상이 되었지만 처음에는 양쪽 위팔과 목, 얼굴까지 이상이 있고 1개월 이상 일을 쉬고 있다고 한다. 어깨가 결리고 몸이 가라앉는 듯한 느낌이 있다. 또 밤중에 한 번 이상 양 무릎 주변이 굳어지고 자주 주무르곤 한다.

병원에서는 C5~6, L5에 이상이 있다고 말하고 격일로 견인하고 있다. 병이 호전되지 않기 때문에 소개받아서 왔다.

잘 살펴보면 요배부에서 후경부까지 긴장해 있고 어깨(승모근)도 딱딱하게 굳어 있다. 이것만으로도 허리나 목, 경추신경의 지배영역인 어깨, 팔, 얼굴 등에 이상이 나타나는 것이 당연하고 가슴은 늑간부에 압통이 있고 복측부도 긴장해 있기 때문에 허리의 동작도 당연히 나쁘고 허리부터 아래로의 영향으로서 요추신경의 영향을 받는 무릎에도 또 발에도 이상이 나오는 것이다.

우선, 예비 조작으로서 대퇴내측부(No. 4)의 처리를 하여 긴장이 없애고 대요근의 연동법(No. 7)의 발목을 확장시키는 방법을 행한다. 다음으로 바로 누운 자세로 무릎의 동작에서 요배부(No. 9)의 긴장을 없앤 후 바로 누운 자세로 팔의 동작에 의해 가슴 부분부터 흉복부(No. 8)까지의 긴장을 없앤다. 일어서서 허리, 다리의 동작을 보면 좋아져 있다. 단지 목에서 견갑골의 주변에 아직 약간의 위화감이 있다고 한다. 너무 지나치게 움직이지 않도록 이틀 후에 다시 와서 받았다. 발쪽은 꽤 좋아졌고 다소 위화감이 있는 정도였지만 목부터 견갑골의 주변이 아직 무겁고 답답하다고 하였다.
대요근의 연동법(No. 7)으로 무릎, 발꿈치에 저항을 걸어서 상체를 돌리는 방법을 행하고 내퇴부[No. 4 (1)]을 행했다. 이것으로 목의 움직임도 좋아지고 본인은 '중증이다'라고 생각하고 있었던 것이 간단히 치유되니까 '다시 또 나빠지지 않을까?'라고 염려하고 있었다.

② 요통

14세(중학 2학년) 여. 앉아 있으면 왼쪽 둔부가 아프다. 재채기를 하면 둔부가 아프다. 왼쪽 무릎도 가끔 아프기 때문에 체육은 언제나 견학이다. 이제 성장통일 리 없고 '어째서 그런 것일까?'라고 부모님도 걱정하고 있다. 체격은 좋지만 허리를 구부리고 앉는다. TV도 좋아한다고 한다. 허리를 특별히 아프지 않다고 말하지만 둔부도, 무릎도 허리의 영향이기 때문에 특별히 이상한 것은 아니다.
의자에 앉아서 좌우의 무릎을 교대로 올리면 왼쪽 무릎이 올리기 힘들고 높이 올리면 둔부가 조금 아프다. 요배부의 좌측, 좌대퇴후부(대퇴이두근)가 경직되어 있고 무릎안쪽에도 손만 대도 뛰어오를 정도의 응어리가 있다. 게다가 좌복측부(외복사근)도 굳어져 있기 때문에 동작은 어떻냐고 물어보면 앞으로 굽히기 힘들고 몸이 딱딱하다고 했다. 골반 뼈 위 가장자리는 양측 모두 긴장해 있었지만 그 외는 좌측만이 긴장해 있다.
골반 뼈 위 가장자리의 긴장을 없애고 오른쪽 대요근(No. 7)의 처리를 하고 바로 누운 자세로 요배부의 처리(No. 9)를 했다. 게다가 바로 누운 자세에서 대퇴이두근의 처리를 한다.
이것으로 등 부위의 통증도 사라지고 무릎이 가벼워졌다고 말한다. 조심하기 위해서 2~3일 간격으로 3회 후 완전히 해소되었다.

③ 요통(추간 연골 헤르니아 : 추간판탈출) - 추간연골이 뒤로 불거져 아픈 현상

26세 간호사. 간호사에는 직업병이라고 불릴 정도로 요통이 있는 사람이 많

다. 특히 장신의 그녀는 다른 사람보다 굴곡하는 경우가 많고 요통으로 고민하고 있다. 낫지 않기 때문에 신경차단을 해서 참고 있다. 돌아오는 봄에 결혼하기로 되어 있고 이대로는 곤란하기 때문에 거꾸로 계산해서 앞으로 1개월을 한도로 수술하려고 고민하고 있을 때 친구 소개로 왔다.
동작분석을 하자 전, 후굴이 어렵고 다리가 아프다고 하는 표준적인 증상이었기 때문에 우선 요측부에서 대요근, 게다가 바로 누운 자세로 요배부의 긴장을 없앴다. '조금 더'라고 생각하면서 의자에 앉게 하고 무릎을 올리게 하면 양쪽 모두 잘 올라간다. 다음에 서게 하고 아파서 할 수 없었던 전, 후굴 동작을 시켜보면 편하게 된다. 다리의 통증도 없어졌다고 한다.
그래서 다음 두 가지 주의사항을 주고 끝냈다.
㉮ 피곤할 때 편하게 쉴 때의 자세에 신경을 쓸 것
㉯ 통증이 나올 것 같은 때는 의자에 앉아서 상체를 비트는 등 연동체조를 할 것
후일, 본인은 좋아졌지만 약혼자도 아프기 때문에 봐 달라고 하였다. '단지 멀어서 언제가 될지...'라고 전화가 있었기 때문에 "같은 「동작진료」를 해서 「연동체조」를 해보도록 말해보세요"라고 이야기하고 1년이 되었다.

④ 추간연골 헤르니아

32세 남. 기계기술자(설계). 이전부터 요통이 있었지만 2개월 전 요선부부터 다리와 발에 걸쳐서 아프고 저려 와서 검진한 결과 추간 연골 헤르니아라고 판정, 수술하는 것 외에 방법이 없다고 말하였다.
신혼의 부인이 반대를 하고 또 본인도 수술하고 싶지 않았기 때문에 여러 방면에서 정보를 모으고 있을 즈음에 친척으로 부터 소개를 받아서 조심스레 방문하였다.
동작진료를 해 본 결과 앉은 자세에서 오른 다리가 올리기 어려웠고 허리를 돌려보자 우회선이 어려웠다(좌회선이 편하다). 오른 다리에서(No. 7)의 조작을 하고 다시 한 번 동작진료하면 우회선이 편하게 된다. 오른쪽으로의 연동법을 행하고 통증, 저림이 없어지고 귀가 했다.
첫 번째가 끝난 다음날 병원에서 검사를 했다. 발이 올라가는 것이 대단히 좋아졌다. "수술을 하지 않아도 될까?"라고 말하였다. 5일 정도 지나서 두

번째(대요근, 흉복부, 요배부연동)를 행하자 전굴도 좋아지고 서서 바닥에 손을 닿을 정도까지 되었다. "지금까지 이런 것은 없었다"라고 말했다.
두 번째의 이틀 후 야구를 했다. 포수를 맡아서 볼을 던질 때 삐끗했기 때문에 「연동체조」 대요근 연동을 행하고 나서 큰일 없이 끝났다. 그 3일 후의 일요일에 또 야구를 했지만 이날은 이상이 없었다.
세 번째는 일주일 후 전굴동작이 조금 나쁜 정도지만 발의 통증, 저림은 없어졌다. 연동요법으로 전굴도 좋아졌다.
일상의 자세를 잘 할 것, 허리가 나쁘다던가 통증이 있을 때는 「연동체조」를 행할 것을 지시하고 끝냈다.

가슴이 답답하고 아프다(늑간신경통). 비정상적인 심박, 숨찬 증상, 복근이 긴장되어 일어나는 복통, 게다가 허리가 펴지지 않는다. 앞으로 구부릴 수가 없다. 요통 등의 광범위한 동작 장애는 늑간 신경이 지배하는 복부의 근육이 강하게 영향을 미친다. 이 늑간신경의 항진은 요부의 긴장, 흉배부의 늑추 관절 운동축 주변의 긴장에 의하여 야기되는 통증이기 때문에 이 원인이 되는 대요근의 조작, 내퇴부 하부의 조작 및 반대 방향의 내퇴부 상부의 조작에도 주목하지 않으면 안 된다.

일반적인 흉부, 복부의 아픔을 호소하는 내용들을 보면

- 늑간신경통(흉부)
- 복직근의 긴장
- 외복사근 중앙부의 긴장
- 외복사근 하단부 및 서혜부의 긴장 등 각기 배부로부터 복부로의 흐름이 된다.

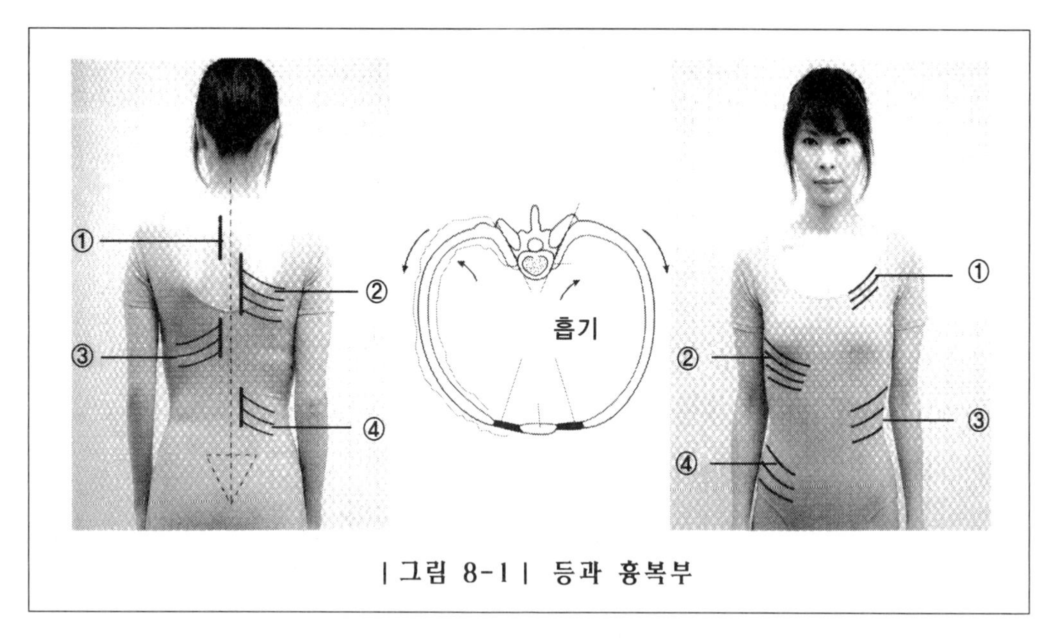

| 그림 8-1 | 등과 흉복부

조작에 있어서는 배부로부터의 조작(No. 9), 한 번 더 필요할 때에는 복부의 근육을 조작(No. 8), 그렇게 해도 안 될 때에는 같은 방향의 내퇴부 하부 조작(No. 4-1) 및 반대 방향의 내퇴부를 조작(No. 4-2), 대요근의 조작(No. 7)을 한다.

심장, 혈압에 이상은 없는가? 가슴이 압박 되면서 고통스러운지 아픈지 비정상적인 심박, 숨참 등의 증상이 있을 때에는 반드시 흉부의 근육이 긴장되어 있다. 흉곽이 열리지 않고 소량의 공기량(소량의 산소량)으로 호흡하기 때문에 호흡 횟수가 증가하여 숨이 차게 되고 산소가 희박한 혈액이 되기 때문에 산소가 다량으로 필요해지므로 심박수가 증가하며 가슴이 답답해진다. 흉부 중앙(흉골상)이 탕탕 치는 것 같은 자극 때문에 기침이 멈추지 않는 것도 배부의 긴장과 연관이 있다. 흉부의 압통점 또는 이상감각부는 제각기 흉추신경계에 대응되어 있으며 흉부의 이상에 대응하는 배부(늑추관절 운동 축 주변)의 긴장을 처리해주면 가슴이 편안해진다. 또한 신경을 쓰면 위가 아파지는 일이 있다. 위는 마음의 거울이라고도 하는 것은 신경을 쓰게 되면 흉배부에 긴장이 일어나 그곳에서 늑간신경-흉부, 복부까지 미치기 때문이다. 이때에 배부를 조작(No. 9)을 하면 복부가 편안해진다. 연동법의 움직임은 여러 가지 부위에 연동하는 것으로써 하나하나 조작하지 않더라도 그 주변이 편안해진다는 정도로 상, 중, 하의 각도를 맞추는 움직임 정도로도 좋다. 실제상황에서는 요부(No. 7), 내퇴부(No. 4) 연동법에 들어가기에 앞서 배부의 조작을 먼저 하여 몸의 움직임을 편안하게 하고 나서 하는 편이 좋다. 충분히 움직이게 하는 정도로 잘 연동하여 연동법의 효과가 극대화될 수 있도록 염두에 두기 바란다.

(1) 자세 : 팔의 움직임으로부터 연동시킨다.

수혜자는 반듯하게 눕는다. 앉아 있어도 좋지만 눕는 것이 목과 등의 힘이 빠질 수 있어서 좋다. 허리부분을 안정시키기 위하여 발과 다리의 위치를 염두에 둔다.

가. 수혜자는 팔짱을 끼고 왼쪽 방향으로 당길 때는 오른쪽 손이 위로 올라가게 한다.

① 양팔을 가볍게 서로 밀면서 가슴 앞으로 밀어낸다(배부, 늑추관절 운동 축을 넓힌다).

② 양팔을 좌측으로 향한다(좌우선택).

③ 깍지 낀 양팔을 상하로 움직여 등부위의 편안한 각도를 선택한다.

④ 선택한 방향으로 숨을 들이쉰다(흉곽이 넓혀진다).

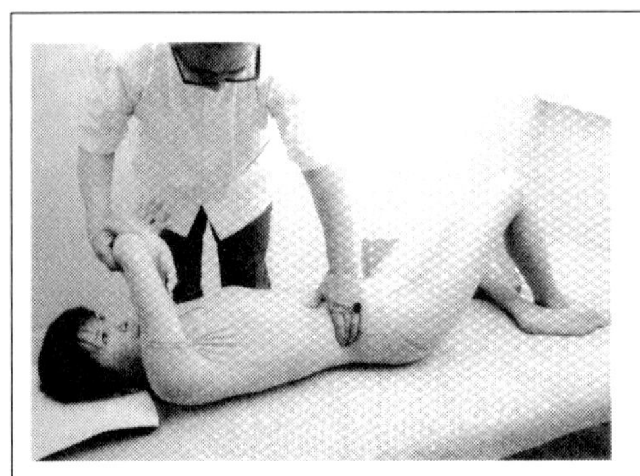

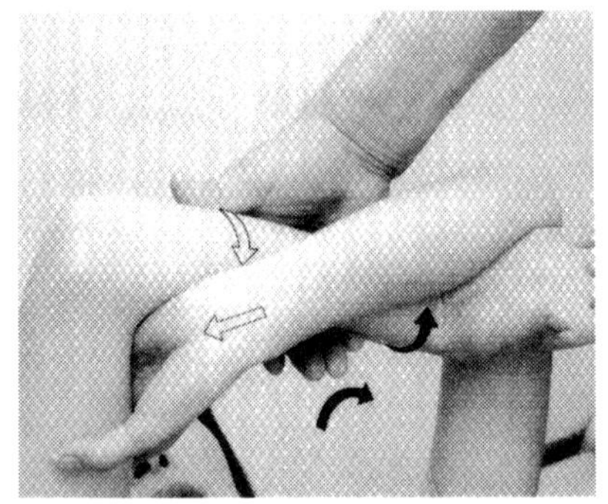

| 그림 8-2 | 수혜자의 다리 위치와 팔과 손의 방향

나. 다리를 꼬는 것은 팔을 움직이게 하는 방향으로 무릎을 세우고 발끝을 바깥쪽(새끼발가락방향)으로 돌려서 힘껏 버틴다.

남은 한쪽 발은 무릎을 굽혀서 왼쪽으로 눕히고 발목은 무릎을 세운 발의 발꿈치에 두는 자세를 취한다. 이때 다리 위치는 팔꿈치를 움직이는 기본 동작이 된다.

(2) 연동법

시술자는 수혜자의 팔이 향하는 쪽으로 있는 것이 중심의 안정이 된다. 수혜자의 앞 팔, 팔꿈치 가까이에 손바닥을 얹고 움직이는 쪽 앞 팔의 안쪽과 유도방향으로 저항을 가하고 배부의 목적 부위로 연동이 미치도록 유도한다.

① 이때 수혜자의 앞 팔에 걸친 손은 당기지 말 것. 당기면 수혜자도 당겨버리기 때문에 배부가 긴축한다.

② 가슴 앞부분에서 깍지 낀 수혜자의 양팔을 서로 밀듯이 하여 움직이는 쪽의 앞 팔을 내밀게 한다. 이때 배부가 넓어진다(늑추 관절 운동축이 넓혀진다).

③ 움직이는 측의 팔꿈치를 들어 올리면 흉추 하부로 밑으로 내리면 흉추 상부로 연동한다. 저항하는 쪽의 팔꿈치를 아래로 내리면 흉추 하부로, 들어 올리면 흉추 상부로 연동 한다. 이렇게 하여 늑간 신경 기시부로 필요한 각도로 향한다.

④ 숨을 목적 부위로 들이마시도록 지시한다. 이런 의식만으로 흉곽이 넓어진다. 복부는 촉진하여 어느 위치에 긴장이 있는지를 확인한다. 이 부위는 어느 흉추로부터 비롯하여 늑골에 연계되어 있는가를 확인하고 팔꿈치의 각도를 정한다. 몸이 마른 사람, 흉부가 두꺼운 사람은 늑골의 하부 각이 달라지므로 주의해야 한다. 움직이는 측의 팔각도는 움직임이 확장, 연동하기 때문에 다음과 같다.

움직이는 부위	팔의 각도
상흉배부(늑간신경통, 흉부의 통증, 유선증)	전하 방향으로(약 140°)
중흉배부(복직근 상부)	앞에 보다 좀 더 위 방향으로(약 110°)
하흉배부(외복사근 중부)	전상방, 어깨 위 방향으로(약 90°)
최하흉배부(외복사근 하부)	어깨 최상방, 귀 방향으로(약 70°)

⑤ 공통 사항으로서 정리하면

㉮ 움직이는 방향의 앞 팔을 안으로 돌리고 양 팔꿈치를 앞으로 민다(배부를 넓힌다).

㉯ 그대로 옆으로(흉복부에 긴장이 없는 사람) 양 팔꿈치를 향한다(좌우의 선택).

㉰ 위팔의 각도(팔꿈치의 방향)를 정한다(해당 늑추관절 운동축을 선택).

㉱ 한 번 더 흉곽을 넓히기 위하여 가슴 끝까지 숨을 쉰다.

㉲ 그대로 약 3초 연동시키고 "후~"하고 숨을 내쉬면서 힘을 뺀다.

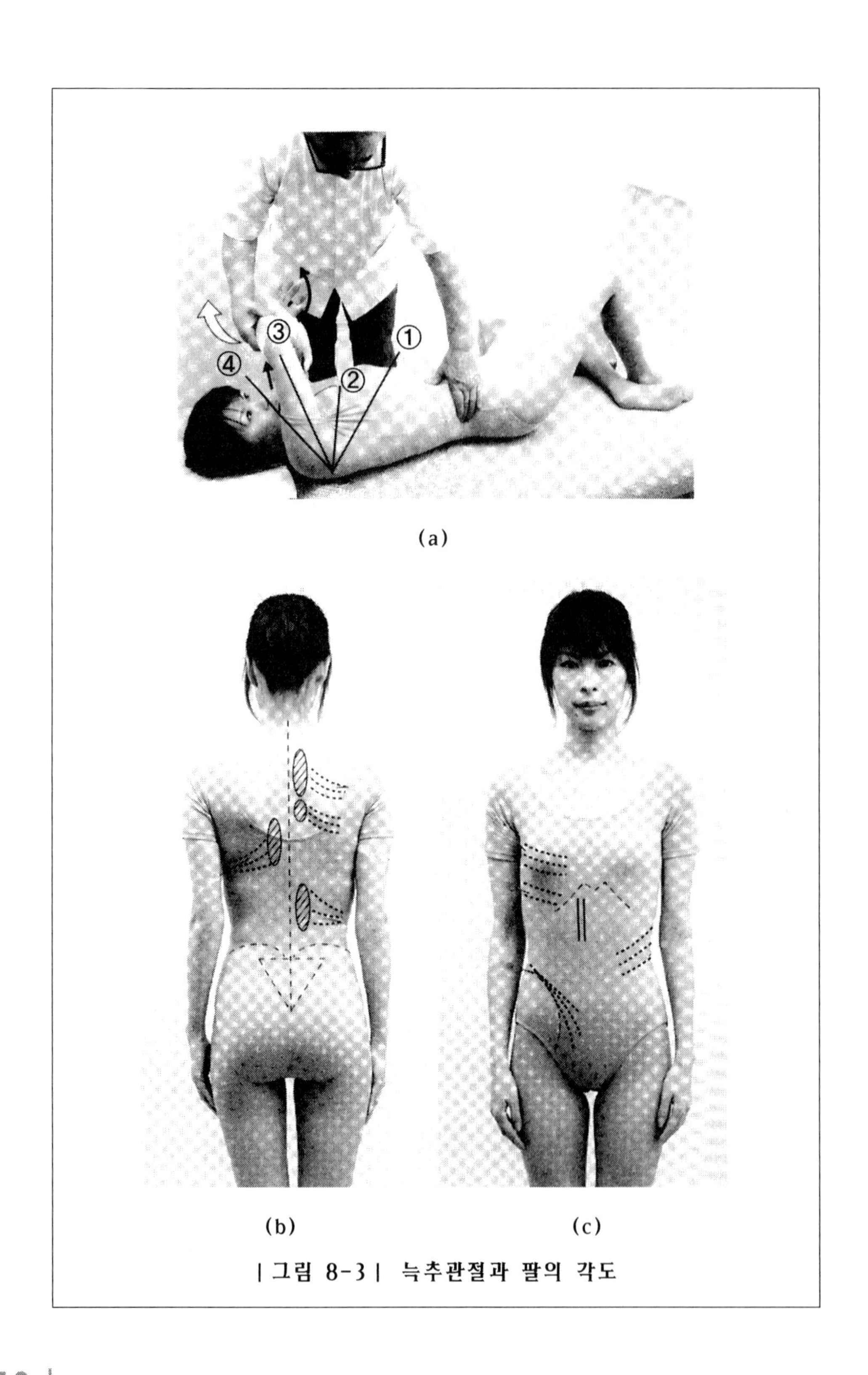

| 그림 8-3 | 늑추관절과 팔의 각도

(3) 흉부의 연동법(늑간 신경 관련)

자세 및 연동법은 전술한 바와 같다(팔의 각도는 그림 8-3의 (a)를 참조하여 유도한다).

① 양팔을 깍지 끼고 손을 반대 측의 팔꿈치와 가슴 사이의 안으로 비틀면서 끼워 넣는다. 서로 밀면서 양 팔꿈치를 앞으로 내민다.
② 양 팔꿈치가 늘어나면 움직이는 쪽의 팔꿈치를 앞으로(몸의 정중선 정도까지) 내민다.
③ 팔꿈치를 시술자의 손이 움직이는 방향으로(팔의 각도) 향한다.
④ 이곳에서 등을 펴서 숨을 들이쉰다.
⑤ 1, 2, 3, 네 후~하고 숨을 내쉬면서 힘을 뺀다. 천천히 두 번 호흡한 다음에 한 번 더 해 본다.

①~⑤의 번호는 전술한 공통 사항의 번호이다. 이러한 움직임 중에서 움직이는 방향이나 숨을 들이쉬는 타이밍을 쉬고 있는 한 쪽 손으로 지시하면 보다 정확하게 움직일 수 있다.

(4) 복직근 상부의 연동법

복직근은 제5-7 늑연골의 외면 검상돌기 및 이 돌기와 늑골 간의 연결띠로부터 일어나며 치골의 위쪽 부분에 연결된다. 이 부분이 강하게 긴장되면 허리가 펴지지 않고 등이 굽어진다.
외복사근도 함께 긴장하면 요통, 어깨 결림, 상체의 굴신, 회선장애를 일으킨다.
이 근육의 신경 지배는 T5~T12이다. 기시부인 T5~T7 늑추 관절 운동축을 목표로 한 위팔의 장력선을 보아서 연동법을 시행하면 복직근의 중앙부 정도까지는 금방 이완된다.
다음 장과 같이 직접 복직근을 조작할 때라도 기점을 이완시켜서(늑추 관절 조작) 하는 것이 좋다(자세 및 연동법은 전술한 바와 같다).
팔의 각도는 그림 8-3의 (a)를 참조한다.

(5) 외복사근(중부, 하부)의 연동법

외복사근은 신경 지배로 본다면 T5~T12까지 광범위하게 관련되어 있지만 상체를 비틀거나 앞으로 구부리는 등의 동작에 크게 관련하는 것은 T8~10의 연관되는 부분, 즉 복부의 전방측부분이다.
촉진해보면 경사진 앞쪽 아래 부분으로 단단한 근육이 흐르고 있음을 알 수 있다. 자세 및 연동법은 전술한 바와 같다.
위팔의 장력선의 각도(팔꿈치 → 어깨의 연장선)가 T10 방향 정도로 팔꿈치를 거꾸로 어깨 위 방향으로 올리는 것도 좋다.
외복사근 중부는 그림 8-1의 ③번, 외복사근 하부는 그림 8-1의 ④번의 각도를 참조한다.

주의사항 ▶▶▶

① 조작의 최종 단계에서 어깨를 내밀지 않도록 팔-어깨-등 이 부드러운 곡선이 되면 배부의 늑추관절 운동축이 잘 벌어진다.
② [1. 흉부의 연동법]과 같이 유도를 사용한다.
③ 외복사근 하부의 긴장이 아무래도 없어지지 않을 경우에는 조금 관점을 달리해 볼 필요가 있다. 외복사근은 그 성질상 늑간신경 지배의 근육이므로 상부는 늑추관절부에서 받는 자극에 의하여 늑간신경 → 외복사근에서 영향을 받는다.
④ 하부의 외복사근은 하부의 늑추관절부 및 역방향의 대요근 → 같은 방향의 척추 기립근의 영향 때문에 긴장하는 것이므로 외복사근의 조작과 대요근의 조작 또는 내퇴부 하부의 조작을 필요로 하는 경우가 많다.

(6) 증상 예

가. 가슴의 통증

38세 주부. 약 6개월 전부터 오른쪽 가슴이 아프고 유방에도 응어리가 있기 때문에 병원에서 검진한 결과 어디도 이상은 없다.
"늑간 신경통이겠죠. 걱정 때문에 세포를 봅시다"라고 하여 유방에 세포검사를 했지만 이상은 없다고 한다. 안심은 했지만 약만 먹을 뿐 통증은 없어지지 않았다.
"허리는 어떻습니까?"라고 물으면 아프지 않다고 한다.
장신의 여성에서 허리는 약간 둥글게 되어 있다. 하퇴는 딱딱하고 대퇴바깥쪽은 양쪽 모두 압통이 있다. 허리에 변형이 강하게 걸려 있고 요배부, 흉배부가 긴장해 있고 늑간 신경통이 일어나기 쉬운 조건이 갖춰져 있다.
우선 허리를 조정하고 상배부를 조정하고 흉부는 팔의 각도를 보면서(No. 8) 조작을 젖멍울 부분을 이완하는 각도를 선택해서 행했다.
이것으로 유방의 응어리는 없어지고 가슴의 통증도 하루 후에는 완전히 없어졌다.

나. 복부의 긴장

55세 주부. 천식은 아니지만 헛기침이 나온다. 가슴부위가 간질간질 하는 것 같고 때로는 짓눌리듯 괴로운 느낌이다. 열도 없고 병원에서도 천식은 아니라고 말하였지만 복부가 딱딱하게 되고 기침을 할 때마다 딱딱해 진다는 것이다.
대요근 조작에 의해 허리의 변형을 잡고 흉복부조작으로 흉부의 긴장을 처리하자 잠시 후에 기침이 멎었다.
하루 정도는 편안했지만 또 괴로워졌다. 가깝기 때문에 다음날 또 다음날 계속하자 기침은 진정되었다.
아주 맘에 들었는지 다음날 그 방법이라도 배우고 싶다고 방문하여서 자세하게 메모를 하고 갔다.
"「연동 체조」도 제 스스로 필요하다고 생각해서 열심히 연습을 했습니다"라고 말하였다.

9

9번 연동 I
요배부 연동

허리, 등, 어깨결림, 목이 돌아가지 않는다.
자세가 나쁘면 요배부가 긴장하고 목, 손, 팔의 이상이 일어나기도 하고 허리, 무릎, 발의 통증의 원인이 되기도 하는 경우가 실제로 많다.
요통은 거의가 이 요배부의 통증으로서 나타난다. 그리고 여기에서 위로도 아래에도 영향을 주고 많은 증상으로서 고통을 받는다. 요배부의 긴장은 대요근의 긴장(No. 7)과 관련하고 게다가 대각에 연동하는 것을 기본으로서 우선 허리의 조작을 하고 그래서 좋아지지 않을 때는 다음에 서술하는 국소의 조작을 한다.

(1) 무릎을 좌우로 쓰러뜨린다(제9-1번 연동).

가. 연동법

① 환자는 바로 누워서 양 무릎을 세운다. 무릎을 좌우로 쓰러뜨려보고 편안

한 쪽으로 충분히 쓰러뜨려서 한 손으로 무릎에 가볍게 저항을 건다.

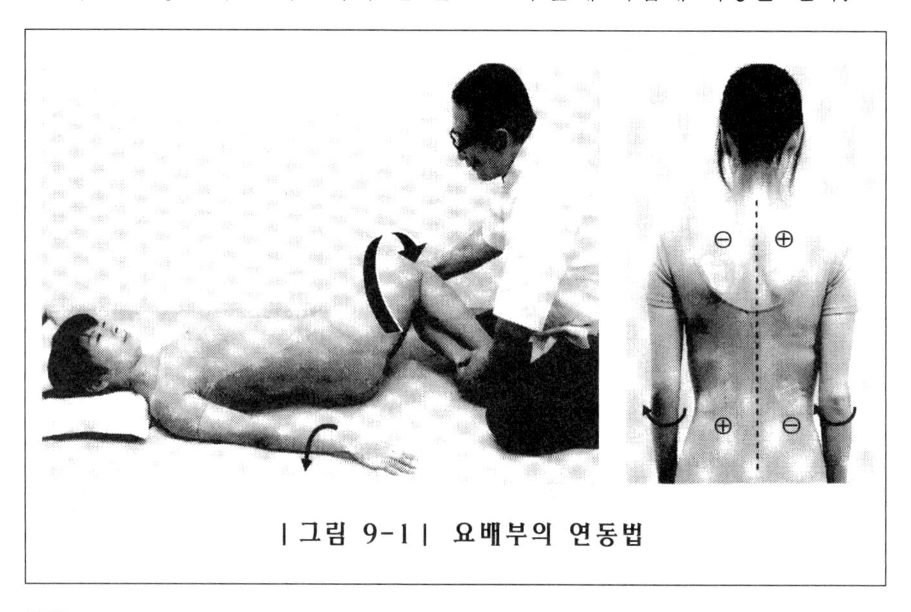

| 그림 9-1 | 요배부의 연동법

참고 요배부의 상태를 등 부분에서 본 것. +는 긴장, -는 이완을 나타낸다.

② 게다가 양 발 중족골 앞부분으로 바닥을 누르고 발뒤꿈치가 올라갈 때까지 무릎을 억누른다. 발꿈치에 한쪽 손으로 저항을 건다. 허리가 움직이고 등이 움직이고 목이 움직이고 팔이 움직인다(회전한다). 팔의 회전에 저항을 걸어도 좋다.

③ 충분히 움직였으면 그대로 약 3초를 두고 후~하고 숨을 내쉬면서 탈력시킨다. 한 번 호흡하는 사이를 두고 약 3회 행한다.

참고

손가락, 손목, 팔꿈치, 어깨 등에 이상감이 있을 때 반대쪽으로 무릎을 한껏 쓰러뜨려 서 점검해 보면 편안해져 있는 경우가 많다. 허리에서 목으로 연동하고 흉추, 경추의 변형이 잡히고, 그 부분에서 신경 지배를 받고 있는 손까지의 이상이 없어지기 때문에 국소에 구애받지 않아도 좋다. 움직이는 쪽이 모자라면 연동이 부족하기 때문에 변화를 알 수 없는 경우가 많다.

유도어 "편한 쪽으로 양 무릎을 한껏 쓰러뜨려서 발끝으로 밟고 발꿈치를 올립니다. 어깨가 올라가지 않도록 반대의 팔은 밖으로 돌리고 같은 쪽의 팔은 올리듯이 팔을 안으로 돌립니다. 허리가 움직이고 등이 움직이고 목도 돕니다. 이제 움직일 수 없는 곳까지 오면 그대로 무릎을 누르고 1, 2, 3, 예, 후~하고 숨을 내쉬면서 힘을 뺍니다. 한 번 호흡하는 사이를 두고 다시 한 번 해 봅시다."

(2) 발뒤꿈치를 밀어낸다(제9-2번 연동).

대조적인 동작을 하는 경우 한 쪽이 수축하면 다른 쪽이 이완하기 때문에 이 동작을 이용해서 긴축부분을 이완시킨다. 바로 누워서 행하면 요배부의 긴장이 없어지기 때문에 보다 효과적이다.

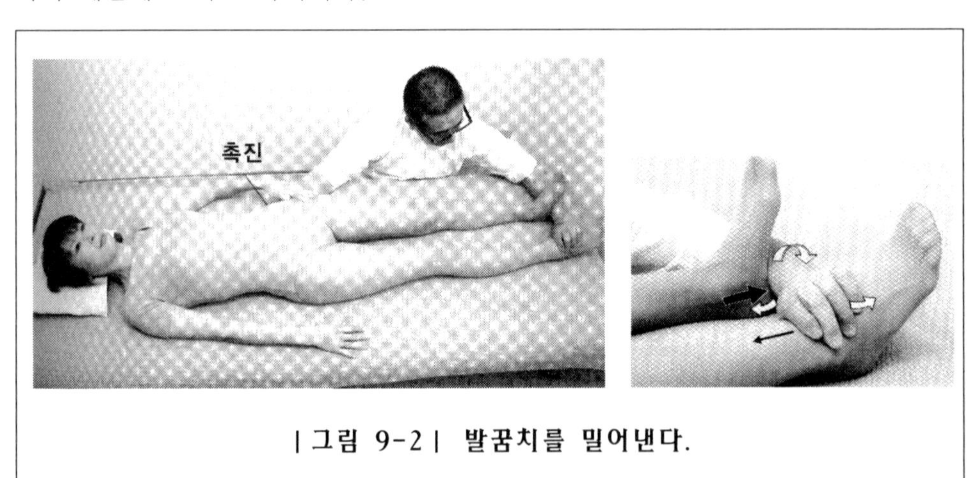

| 그림 9-2 | 발꿈치를 밀어낸다.

가. 연동법

① 바로 누워서 한 쪽 발씩 교대로 펴고 기분 좋은 쪽을 충분히 늘린다. 수축하는 쪽의 발목에 손을 걸고 확장하는 쪽(요배부에 긴장이 있는 쪽)의 발

꿈치에 앞 팔을 대고 앞 팔을 바깥으로 돌리는 느낌으로 발꿈치에 대듯이 저항을 건다.

② 한 손으로 긴장하고 있는 요배부를 촉진하면서 발꿈치로 누르게 한다.

③ 요배부가 기분 좋게 펴지면 그대로 3초를 두고 후~하고 숨을 내쉬면서 탈력시킨다.

나. 주의사항

① 팔은 발꿈치의 아래에 걸치는 쪽이 좋다. 발목이 배굴하고 등 부위가 느슨해진다.

② 발의 중심선 보다 앞으로 길치면 발목이 저굴하고 요배부가 풀어지지 않는다.

다. 증상 예

① 어깨 결림, 목이 돌아가지 않는다.

36세 회사원. 목이 아파서 친절하게 안마를 받았는데 다음날부터 목이 돌아가지 않게 되고 회사를 쉬었다. 또 어깨 결림이 심하기 때문에 요배부를 풀어주었지만(No. 9), 목을 움직이면 견갑골의 사이에(경배부) 통증이 아직 남았다.

거기에서 내퇴부의(No. 4) 조작을 하자 목도 등도 가벼워지고 목도 가볍게 돌아가게 되었다.

② 앞으로 굽혀지지 않는다.

61세 농업. 허리가 아프고 나서부터 앞으로 굽혀지지 않게 되고 손이 무릎 주변까지 밖에 굽혀지지 않는다. 심은 나무를 돌보는 것도 고통스러워지기 때문에 할 수 없다.

골격교정을 계속했지만 통증이 없어지지 않았다. 왼쪽 다리 쪽이 올리기 어렵기 때문에 왼쪽에서 대요근(No. 7), 더구나 다른 요통의 포인트(No. 4, 8, 9-1)를 조작했지만 아직 충분하지 않았다.

의자에 앉아서 몸을 좌우로 비틀어보면 "왼쪽이 기분 좋다"라고 한다. 의자의 가장자리에 손을 대고 상체가 충분히 돌았으면 1, 2, 3 세고 후~하고 힘을 뺀다. 반복하여 실시하자 점점 앞으로 굽힐 수 있게 되었다. 3회 정도 계속하자 깊게 앞으로 굽힐 수 있게 되었다.
나중에 허리가 무거워지면 몸을 편한 쪽으로 비틀고 뒤쪽에 손을 대고 스스로 연동체조를 해도 굉장히 편해졌다는 얘기를 들을 수 있었다.

③ 손가락 저림

54세 주부. 오른 손의 손가락이 저리기 때문에 병원에서 X-선을 찍었지만 이상은 보이지 않고 약을 내놓을 방법이 없다고 말하였다. 뇌혈전 일지도 모른다고 하여 입원검사를 하였으나 알아내지 못하고 마쳤다.
손을 경추신경의 영향 목은 허리와의 상관관계이기 때문에 요배부의 연동법(No. 9-1, 2)을 여러 번 그리고 더 깊게 하는 중에 「손이 시원해졌다」라고 한다. "덕분에 그때부터 괜찮습니다"라고 전화가 왔다.

④ 귀 울림, 난청

62세 평론가. 강연할 때 마이크를 통한 자신의 소리로 귀가 쇳소리가 나게 되고 오른쪽의 귀울림으로 남는다. 언제나 귀에 쇳소리가 난다. 점차 난청이 되고 여러 병원에 다녀봤지만 조금도 좋아지지 않았다.
"이것은 간단한 방법이 없다"라고 하고 '목은 아프고 허리도 아픈데 게다가 모두 오른쪽만인데 그런 중에 반신불수가 되는 건 아닌가?'라고 농담으로 말하면서 귀는 무리지만 허리, 목 정도는 가능하리라고 연동법(No. 4, 7, 9)을 시행했다.
허리는 꽤 좋아졌지만 목은 이제 조금 무겁다고 말하기 때문에 의자에 앉은 체 상체를 전후좌우로 조금 움직여서 오른쪽 허리 등 부분의 가장 풀어진 곳에서 멈추고 "목은 어떻습니까?"라고 묻자 "여기에서 매우 편하다. 앗, 귀울림이 '슷'하고 사라졌다."
여기에서 나도 놀랐습니다. 그러나 「허리 → 목 → 귀」라고 하는 연동은 자주 있는 것입니다.
4~5회 계속하자 귀울림도 적어지고 난청도 꽤 좋아졌다. 그러자 "지금부터 자기치료 연동법을 열심히 하겠습니다."라고 말하는 것이었다.

라. 의자에 앉아서 상체를 비튼다(No. 7)와 바로 누운 자세로 무릎을 쓰러뜨리는(No. 9) 것

다리를 고정(의자에 앉는다)하고 상체를 비트는 것과 상체를 고정(바로 눕는다)해서 다리를 움직이게 하는 것은 상체가 비틀리는 것에 관해서는 같지만 허리가 비틀리는 쪽이 의식을 둔 쪽에 의해 다르기 때문에 이 움직임에 동반되는 연동의 방법이 달라진다. 이 두 개로 공통의 효과가 있기도 하고 별도의 효과도 있다.

① 앉은 자세 또는 의자에 앉은 자세로 상체를 비튼다.
외복사근은 긴장하고 있는 부위가 이완하고 요배부의 근육은 좌우 변함없다. 다섯 손가락의 벌어짐은 변함없다.
단, 골반뼈를 밀어내는 동작에서는 다섯 손가락이 벌어진다.

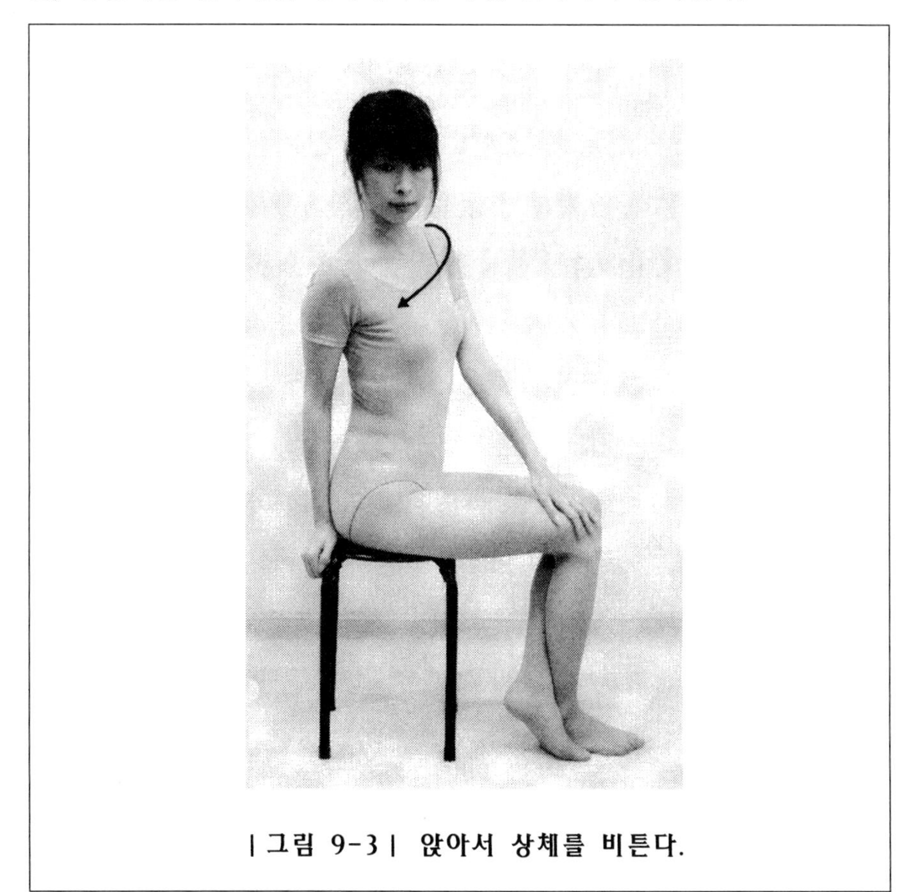

| 그림 9-3 | 앉아서 상체를 비튼다.

② 바로 누워서 무릎을 세운 자세로 양 무릎을 쓰러뜨린다. 외복사근은 좌, 우 변화하지 않는다.

요배부의 근육은 이완해 있는 부위가 긴장해 온다. 다섯 손가락의 벌어짐은 좋아진다. 대요근에까지 영향을 준다.

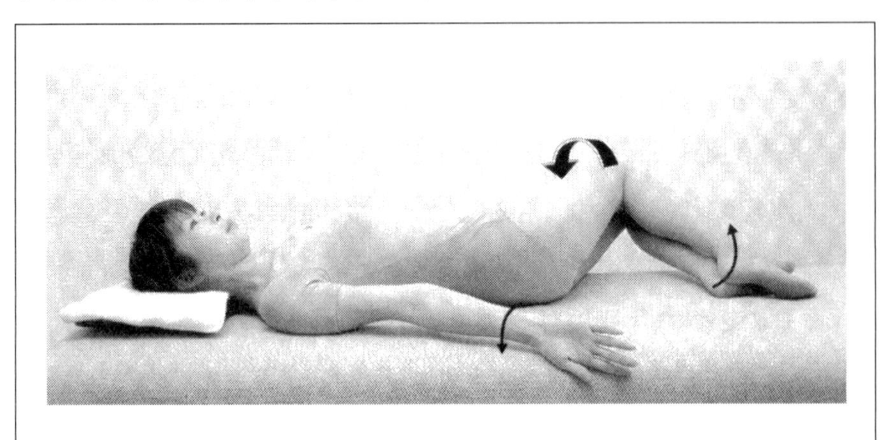

| 그림 9-4 | 누워서 무릎을 쓰러뜨린다.

MEMO

지금까지 서술해온 연동요법은 실기상의 기초가 되는 것이지만 환자는 지시하는 대로 잘 움직이지 못 할 경우도 많은데 움직이는 쪽에도 개인차가 있기 때문에 각자에 따른 유도 방법을 연구할 필요가 있다.
최근에는 가전제품까지 "퍼지 컨트롤"이라고 해서 주변 변화의 상황에 적절하게 대응해서 작동하는 시스템이 도입되어 대단히 편리하게 되었다. 본래 인간은 fuzzy(애매) 사고를 가지고 있다고 한다. 연동요법을 행하는 여러분들도 머리의 퍼지회로를 소생시켜서 적절하게 유도하시면 효과적일 것이다.
이 실기편에서 수록된 각 항목들은 어디까지나 많은 연동요법 중에서 경험적으로 보다 더 확실한 효과가 나타나는 방법들을 엄선하여 체계화시킨 기본적인 것으로 아직 다른 여러 가지 유도법과 더 많은 연동방법이 있다. 그러나 연동요법을 능숙하게 유도하려면 항목을 더욱 적게 해야 할 수 있는 것이 아닌가라고 생각한다.
즉, **잘 움직이면 공통된 동작이 되는 것, 연동에 의해 동일의 효과가 나오는 것** 등이 많이 있기 때문이다.

아울러, 아무리 신속한 효과를 나타내는 연동요법이라 하더라도 지속적인 연동치료체조를 통한 척추의 조정과 근력의 증강이 뒷받침 되어야만 비로소 바른 자세를 지키는 진정한 건강인이 될 것을 확신하면서 이를 위하여 제4부에서는 연동기공체조를 수록하였다.
연동요법 지도자 여러분들의 건승과 보다 깊은 연구 개발로 더 많은 발전이 있기를 기원한다.

Part 04

1. 연동기공의 개요

2. 주요효과와 효능

3. 연동기공의 실제

연동기공

1 연동기공의 개요

연동기공은 전신에 연동이 일어나고 필요한 근력을 강화할 수 있는 요가기공 치료체조로 동양의 오장 도인법과 서양의 체조 요법 등 각종 건강요법을 접목한 것이다. 동작이 단순하고 남녀노소 누구나 특별한 운동기구 없이 쉽게 할 수 있으며 아침에 잠자리에서 일어나면서부터 자연스럽게 실시할 수 있는 생활운동요법으로서 특정 신체부위를 단련하고자 할 경우 반복 시행하여 효과를 더욱 증대시킬 수 있다.

MEMO

2 주요효과와 효능

연동기공의 주요 효과와 효능은 다음과 같다.

1. 혈액순환 및 신진대사의 촉진
2. 운동기능 장애의 예방 및 호전
3. 운동능력 향상과 컨디션의 조절
4. 다이어트(식이요법)와 병행한 몸매관리
5. 척추의 균형 및 척추만곡 조정
6. 관절 및 근육의 유연성 증대 등

MEMO

3

연동기공의 실제

(1) 기본 방법

본 연동 기공은 인체에 무리가 되지 않는 범위 내에서 전신에 연동이 일어나도록 유연하게 행하며 원칙적으로 8호 간에 걸쳐 각각 4회씩 호흡을 하면서 실시하고 필요시 반복하여 강화할 수 있도록 한다.

가. 제1번 ⇒ 눈 운동

누운 자세에서 눈을 감고 손바닥을 눈 위에 올린 상태에서 눈동자를 좌우로 번갈아 가며 돌린다. 양쪽 눈 주변을 손바닥으로 상하 진동하여 가볍게 마사지한다. 이때 직접 눈동자를 누르지 않도록 주의한다. 미간하부를 엄지손가락으로 지그시 압박하여 지압한다(정명, 찬죽).
아름다운 눈과 눈의 피로회복에 유효한 방법이다.

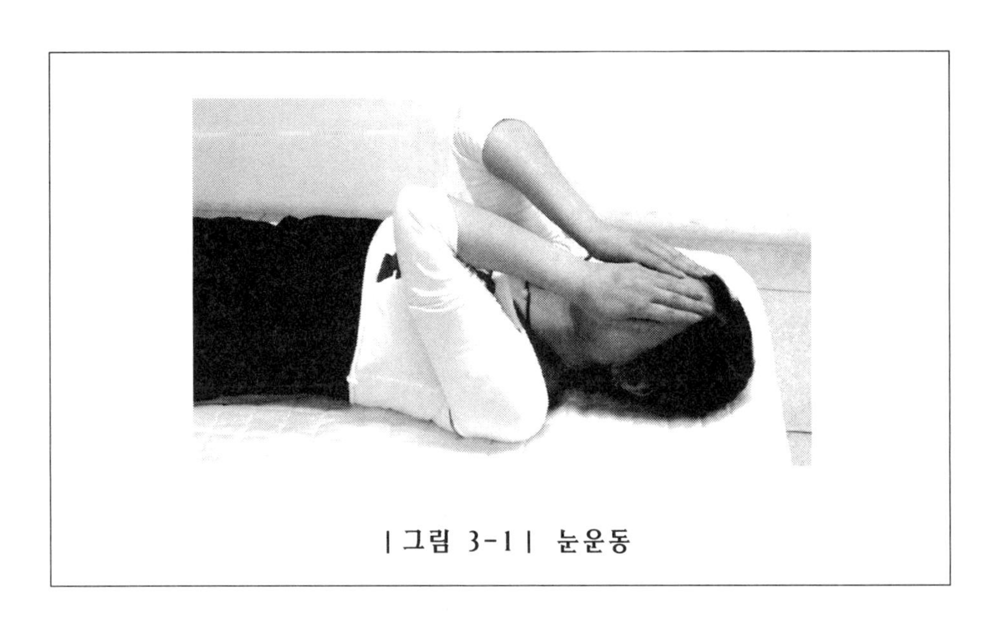

| 그림 3-1 | 눈운동

나. 제2번 ⇒ 발목굴신

바른 자세로 다리를 쭉 펴고 누워서 발목을 위로(배굴), 아래로(저굴) 당겼다 폈다 하면서 전경골근, 비복근, 넙치근 등을 연동시킨다.

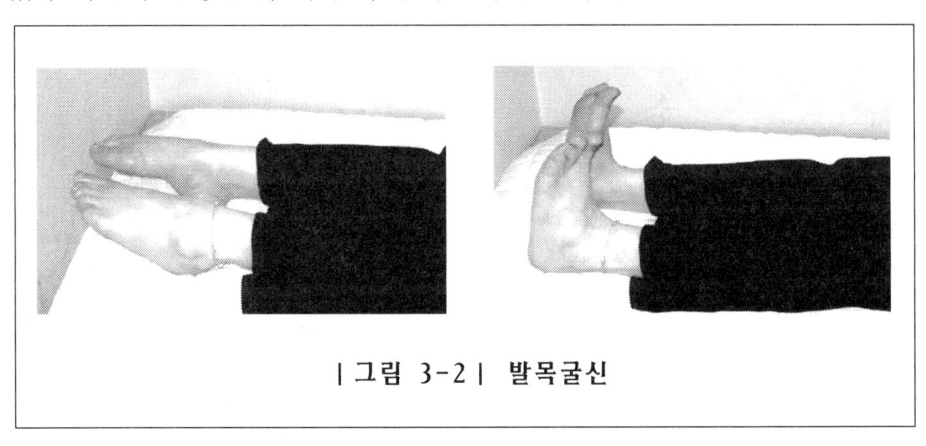

| 그림 3-2 | 발목굴신

다. 제3번 ⇒ 발목 내 외번

바른 자세로 다리를 쭉 펴고 누워서 두 다리를 어깨넓이 만큼 벌리고 양 엄지 발가락이 맞닿도록 안쪽으로 발목을 돌렸다(내번), 밖으로 돌린다(외번).

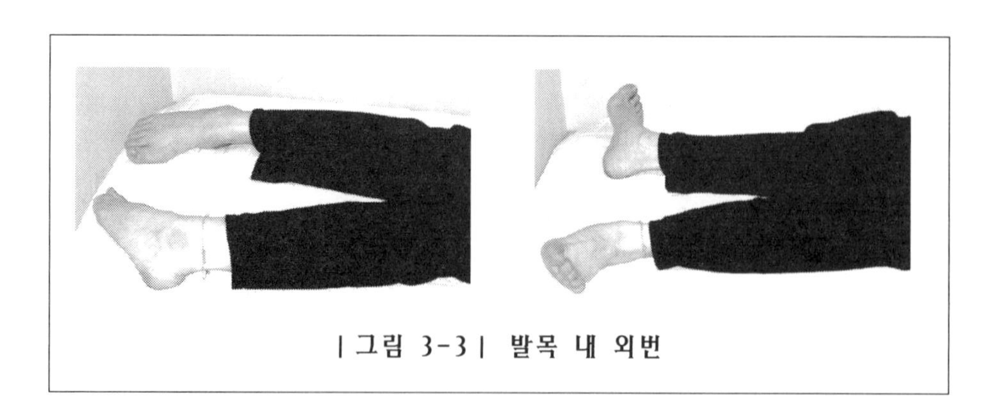

| 그림 3-3 | 발목 내 외번

라. 제4번 ⇒ 다리 들어 타원운동

바르게 누운 자세에서 숨을 마시고 멈춘 후 한쪽 다리를 수직으로 들었다가 몸 바깥방향으로 타원을 그리면서 내린 후 바닥에 닿지 않고 다시 들어 올렸다가 숨을 내쉬면서 천천히 바른 자세로 돌아온다(좌우교대 실시).

이 운동은 척추, 골반, 고관절 등이 조정되고 좌골신경통, 요통, 변비 등이 예방되며, 내장기능강화, 복근강화. 허리를 유연하게 하고 혈액순환을 촉진시키는 데 효과적이다.

| 그림 3-4 | 다리 들어 타원 운동

마. 제5번 ⇒ 무릎 굽혀 흔들기

바르게 누운 자세에서 양 무릎을 가슴 쪽으로 가져왔다가 위아래로, 좌우로 가볍게 흔들어 준 후 좌우로 완전히 무릎을 눕히고 시선과 몸통은 반대로 돌리고 숨을 내쉰 후 잠시 연동시키고 반대쪽을 실시한다. 척추 조정 및 요통의 호전에 유효하다.

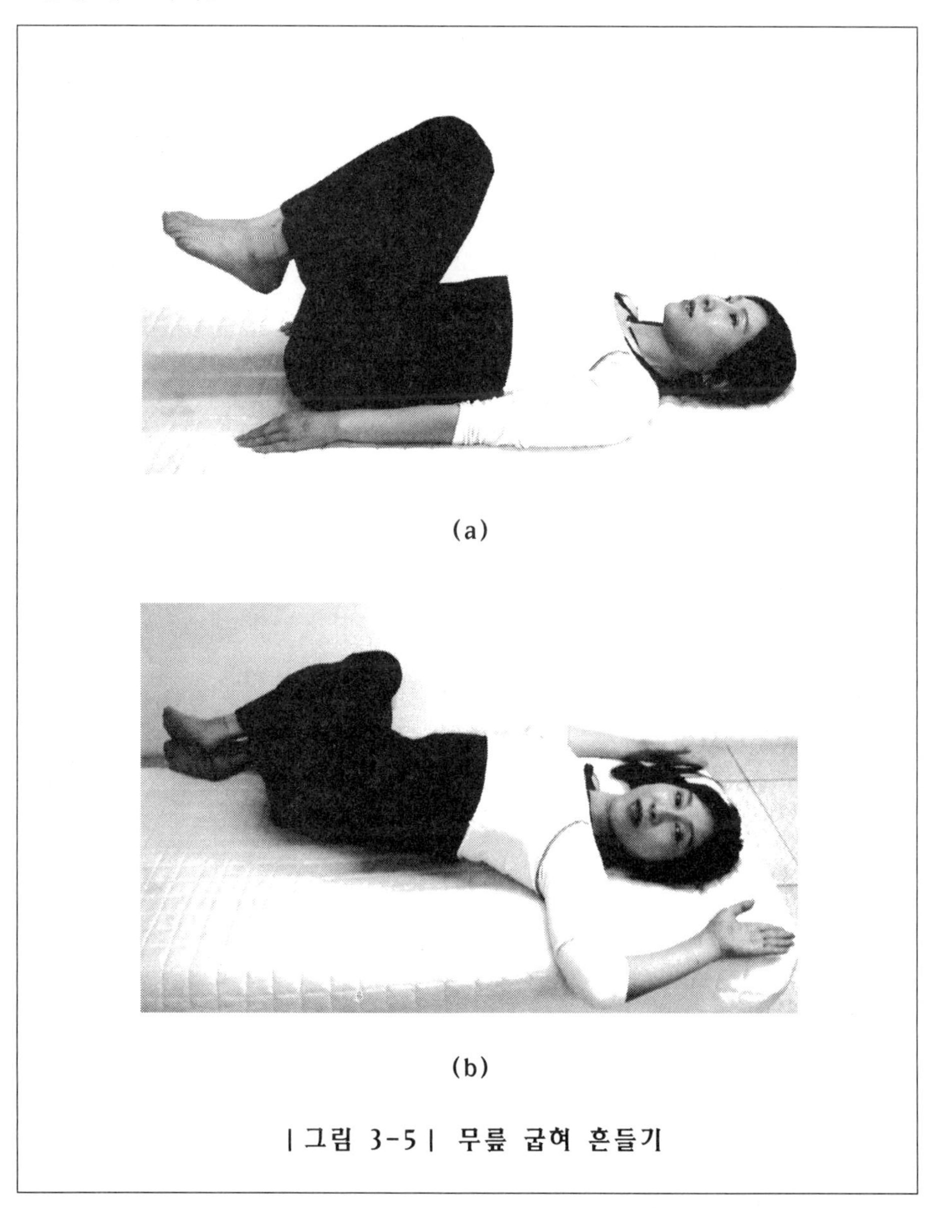

(a)

(b)

| 그림 3-5 | 무릎 굽혀 흔들기

바. 제6번 ⇒ 새우 운동-전신 이완

바르게 누운 자세에서 두 발을 양손으로 잡고 양 무릎이 닿도록 당기면서 굴곡 신전한다. 이 운동은 척추 및 골반이 조정되며 비만증, 위장장애, 냉증, 내장기능강화, 요통, 좌골신경통, 척추근육의 이완과 피로회복에 좋다.

이어서 만세 부르듯이 누워서 양다리와 몸통은 곧바로 하고 팔은 머리 위로 뻗어 가볍게 양손을 깍지 낀다. 발등을 젖히고 아킬레스건을 늘리며 허리를 높이고 전신을 늘려 신전시킨다. 이 몸 펴기 운동은 밤 동안에 잘 펴져있는 척추와 각 관절 등을 더욱 반듯하게 펼 수 있는 효과가 있으며 자율신경 실조증, 폐 기능 허약, 요통 등이 예방되고 스트레스, 전신 긴장완화와 피로회복에 좋다.

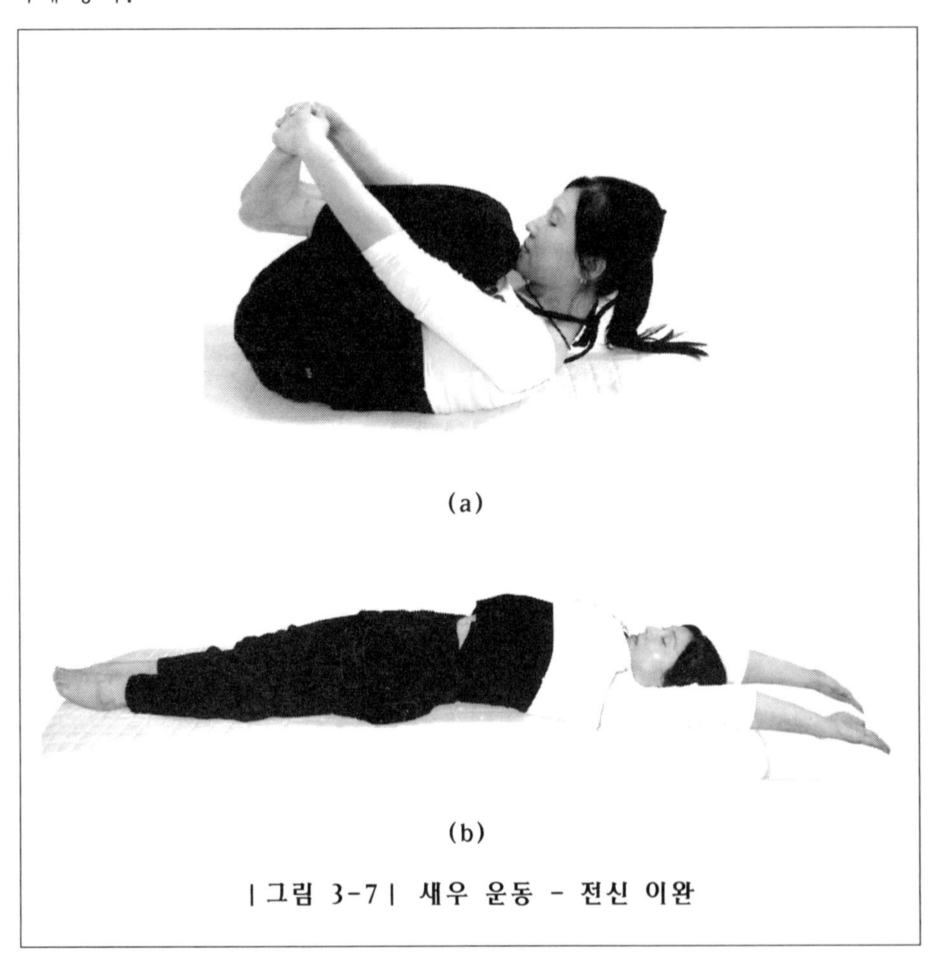

(a)

(b)

| 그림 3-7 | 새우 운동 - 전신 이완

사. 제7번 ⇒ 팔, 다리 들고 흔들기(혈압 조정운동)

바르게 누운 자세에서 양팔과 양다리를 직각으로 들어 올리고 손과 발의 관절에 힘을 빼고 잘게 흔든다. 이어서 손바닥과 발바닥을 마주하여 박수친다. 아랫배에 힘이 들어가 단전에 기운이 모아지므로 신장 기능 강화와 소화촉진에 유효하며 팔과 다리를 높이 올려줌으로써 혈액순환이 촉진되어 심장에 부담이 줄어들고 고혈압, 저혈압, 손 발저림, 부종, 노이로제, 스트레스 등이 예방된다.

또한 뇌에 산소가 충분히 공급되기 때문에 기억력과 집중력이 향상된다. 이 운동은 혈압이상, 변비, 설사, 당뇨병, 요통, 신부전증 등이 예방과 호전 및 혈액순환에 효과적이다.

| 그림 3-8 | 팔, 다리 들고 흔들기(혈압 조정운동)

아. 제8번 ⇒ 윗몸 일으키기 운동

바르게 누운 자세에서 무릎을 펴거나 약간 구부리고 두 팔은 차렷 상태에서 상체를 일으켰다 내린다. 복부근력 강화와 요통의 예방 및 호전에 유효하다.

| 그림 3-9 | 윗몸 일으키기 운동

자. 제9번 ⇒ 등 굽히고 펴기

허리근육과 대퇴부-후면근육을 신장시키기 위해 두 다리를 벌리고 앉아서 허리를 쭉 구부림과 동시에 두 팔을 쭉 펴 손을 발끝으로 가져간다.
약 5초간 유지 후 등을 펴면서 양손을 엉덩이 뒤쪽 바닥에 대고 바닥을 밀어 엉덩이가 들리도록 한 상태에서 고개를 젖히면 허리가 완전히 펴지게 된다.
이때 고개를 좌우로 회전하여 관절가동역(ROM)을 향상 시킨다.
이 운동은 허리근육과 대퇴부 후면 근육이 신전되고 척추가 교정되며 목과 허리의 통증에 유효하다.

차. 제10번 ⇒ 복부 강화운동

바르게 누운 자세에서 숨을 마시고 멈춘 후 고개를 들어 시선은 하단전으로 보고 양다리를 30° 가량 들어 올린 상태에서 두 손으로 배꼽 밑 단전혈을 두드린다. 숨을 내쉬면서 자세를 바로 한다. 이 운동은 혈압이상 변비, 설사, 당뇨병, 오통, 신부전증 등이 예방되고 혈액순환, 내장기능촉진, 목과 복근강화 등에 좋다.

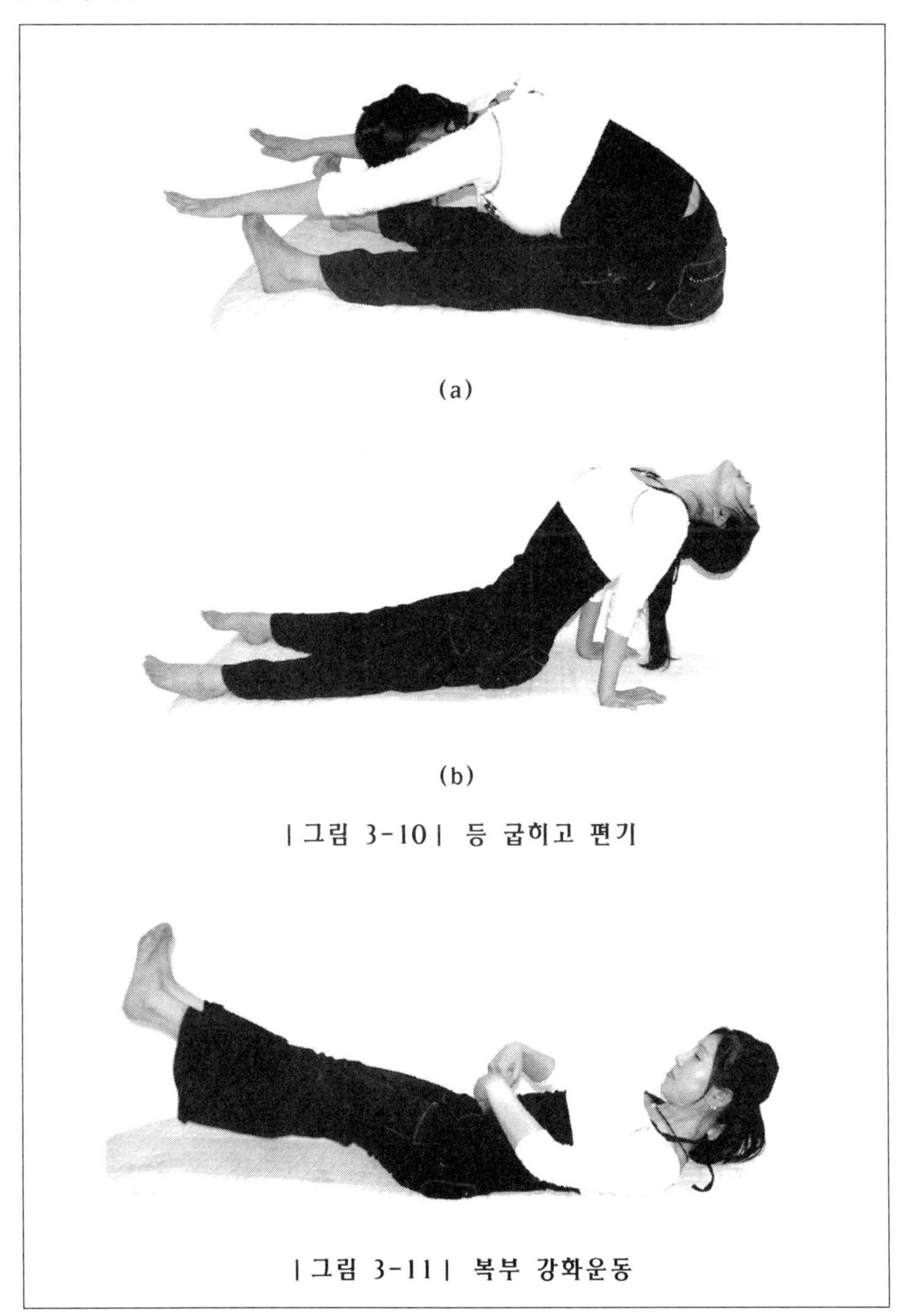

(a)

(b)

| 그림 3-10 | 등 굽히고 펀기

| 그림 3-11 | 복부 강화운동

카. 제11번 ⇒ 복부 마사지

바르게 누운 자세에서 양 손바닥을 서로 겹쳐서 명치에서부터 배꼽 아래까지 복부를 진동시키며 쓸어 내려준 후 복식호흡을 한다.
아랫배가 볼록해지도록 숨을 들이쉬었다가 숨을 내쉬면서 중완과 관원혈을 시계 반대방향으로 마사지한다.
이 마사지는 복부근육을 이완시키고 기혈순환과 내장기능을 촉진시킨다.

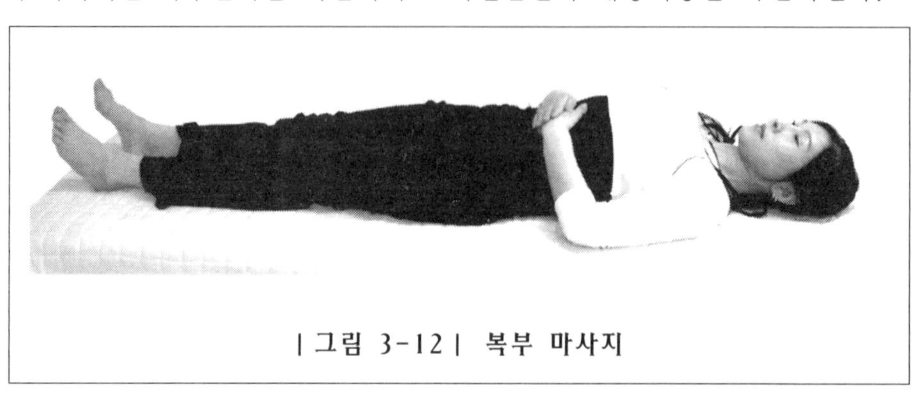

| 그림 3-12 | 복부 마사지

타. 제12번 ⇒ 바로 누워 허리 들기

바로 누워서 발뒤꿈치와 어깨로 지탱하여 허리를 들어 올린다. 이때 숨을 멈추고 항문의 괄약근을 조인다.
최소 10초 이상 수축 상태를 유지한 후 이완시키며, 천천히 숨을 내쉬며 허리를 내린다. 치질과 요실금, 요통과 조루증의 예방 및 호전에 유효하다.

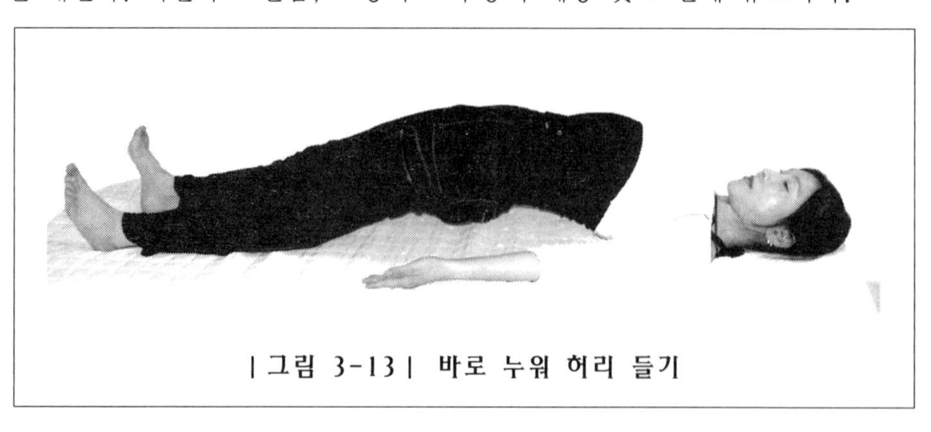

| 그림 3-13 | 바로 누워 허리 들기

파. 제13번 ⇒ 양팔 턱 괴고 허리 들기

바르게 누운 자세에서 양 발을 어깨 넓이로 벌리고 양팔을 교차하여 턱 아래 괴고 발뒤꿈치와 어깨로 몸을 지탱하여 허리를 들어 올린다. 요추와 경추의 조정에 유효하다.

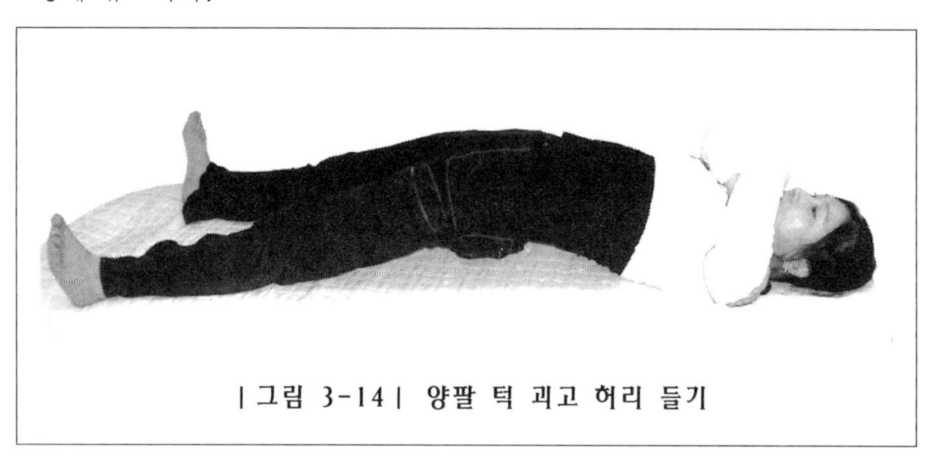

| 그림 3-14 | 양팔 턱 괴고 허리 들기

하. 제14번 ⇒ 경추 1번 운동

바르게 누워서 양발을 어깨 넓이로 벌린 상태에서 오른손은 반대쪽의 왼발을 향하여 바르게 뻗어 주고 고개는 들어서 오른쪽으로 최대한 돌리고 최소 10초 이상 유지한 후 천천히 숨을 내쉬며 돌아온다. 반대쪽도 동일한 요령으로 번갈아 가며 한다.

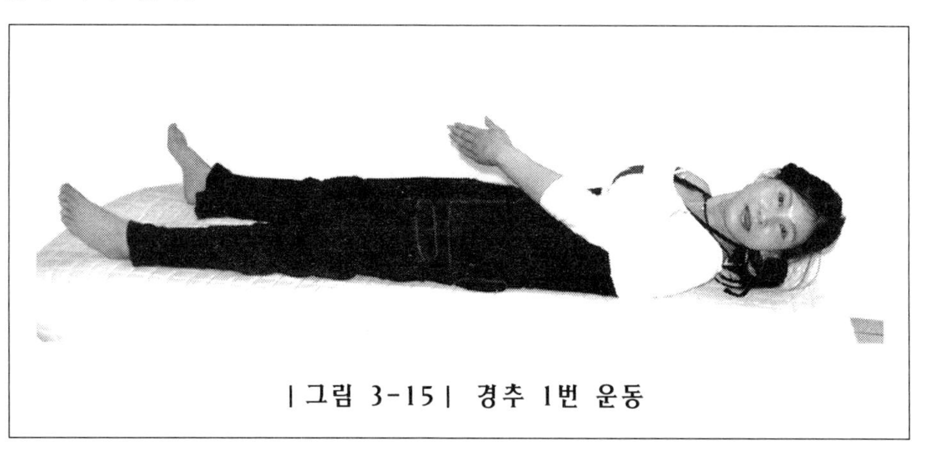

| 그림 3-15 | 경추 1번 운동

거. 제15번 ⇒ 허리와 어깨 들기

두발은 약간 벌리고 무릎을 세운 바로 누운 자세에서 허리를 바닥에서 약 10~20센티 정도 들어 올리고 양 팔로 지탱하면서 어깨부분도 살짝 들어 올린다. 경추 및 요배부의 근력단련에 효과적이다.

| 그림 3-16 | 허리와 어깨 들기

너. 제16번 ⇒ 상체 늘리기(어깨도인법)

무릎을 땅에 대고 네발기기 자세에서 엉덩이를 발뒤꿈치에 닿도록 붙이고 뺨과 귀가 바닥에 닿도록 양팔을 어깨 넓이로 쭉 편다. 숨을 마시고 멈춘 후 어깨를 눌러 펴주고 등과 허리를 늘려 신전한다. 이 운동은 어깨, 등, 허리를 유연하게 하고 장 기능 촉진 및 비뇨기계, 생식기계, 상, 하지강화 등에 좋다.

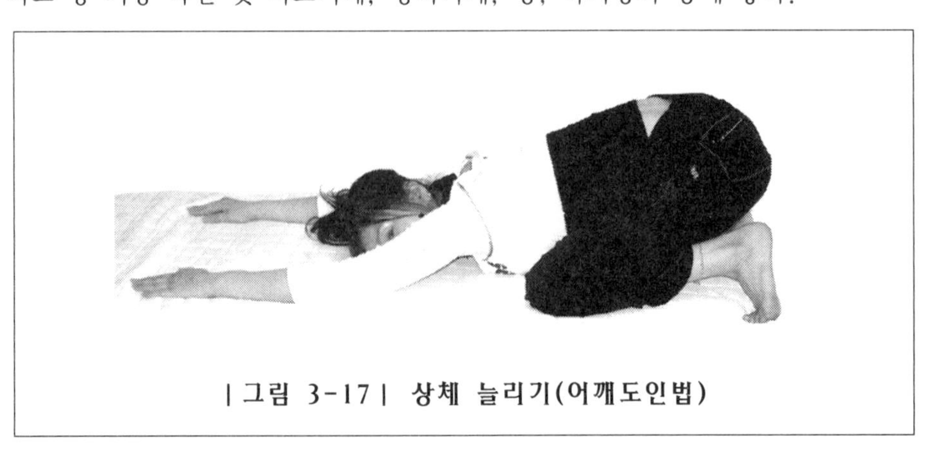

| 그림 3-17 | 상체 늘리기(어깨도인법)

더. 제17번 ⇒ 척추 신전(허리 꺾어 좌우신전)

네발기기 자세에서 손과 무릎의 간격을 보다 넓게 벌리고 팔을 뻗어 견고하게 지지한 상태에서 치골을 바닥에 붙이면 자연스럽게 허리가 꺾어지며 다시 고개를 좌우로 돌려 반대쪽 발을 보면 척추의 좌우신전이 가능하다. 이 운동은 등과 허리를 유연하게 해주며 요통과 척추교정에 유효하다.

| 그림 3-18 | 척추 신전(허리 꺾어 좌우신전)

러. 제18번 ⇒ 허리 운동(고양이등/말 등)

네발기기 자세에서 허리를 놀란 고양이 등처럼 둥글게 하며 고개를 숙였다 다시 고개를 들면서 말 등처럼 허리를 내려 등을 반대로 구부린다. 이 운동은 굽혔다 내렸다 동작의 반복으로 척추근육 중 특히 요배부 근육 통증완화에 유효하며 척추와 골반이 교정되는데 병행하여 **경추등배좌우연동**을 하면 효과가 더욱 크다.

머. 제19번 ⇒ 발가락 굴신 후 견인

오른쪽 발목을 왼쪽 허벅지 위에 올려놓고 앉은 자세에서 오른손으로 발을 잡고 왼손으로 발가락을 뒤로 배굴 한 후 앞으로 저굴 시킨 후 발목을 회전시켜서 관절

가동역을 높여준다. 이어서 엄지와 인지를 이용하여 엄지발가락 뿌리에서부터 쥐고 문지르면서 당겨 뺀다(2회씩). 이어서 2지 3지순으로 차례로 압박 견인한다.

버. 제20번 ⇒ 팔 다리 근력강화

팔굽혀 펴기와 쪼그려 걷기(오리걸음)는 팔과 다리의 근력을 향상시키는 좋은 단련법이므로 각자의 여건과 운동능력을 감안하여 무리가 되지 않는 범위 내에서 지속적으로 실시한다.

(a)

(b)

| 그림 3-19 | 허리 운동(고양이 등/말 등)

서. 제21번 ⇒ 단전호흡

정좌 혹은 가부좌 상태, 눕거나 기마자세에서도 가능하다.

배꼽아래 1촌 반 지점인 단전(기해혈을 단전이라 함)이 볼록해지도록 복식호흡을 한다. 양손을 단전에 모으고 단숨에 코로 숨을 들이 쉬며 내 쉴 때는 입으로 길게 내쉰다.

일체유심조(一切唯心造), 기침단전 진기내생(气沈丹田 眞气內生)의 뜻을 음미하면서 정신을 모아 실시한다.

| 그림 3-20 | 단전호흡

Part 05

[사단법인 국제 통합대체의학협회 논문 발표 요약]

- 2006년 11월 12일 -

자연치유를 위한 요가기공

연동요법(連動療法)

[Connective Kinesitherapy for Naturopathy]

❖ **Abstract**

Connective Kinesitherapy? Each muscle of the human body has the relations with each other and it moves it is a Naturopathy which regulates the balance of the vertebra which with the MSD operation and the breath to lead relates and the muscle.

❖ **Key word**

Connective Kinesitherapy. Naturopathy.
MSD(Musculoskeletal Disorders)

1. 서론

(1) 자연치유학이란?

인체스스로가 가지고 있는 저항력과 복원력, 면역력을 활성화하여, 인체 항상성(Homeostasis)을 극대화함으로서 질병과 고통을 해소하는 각종 방법을 연구하고 실천하는 학문임.

(2) 자연치유 연동요법의 필요성과 탄생

생활양식과 소득수준의 향상 및 장수사회로의 진입은 진정한 생명력을 길러주고 회복하는 자연치유에 대한 관심이 그 어느 때 보다 높아졌음.
그러나 근골격계 질환에 대한 속 시원한 해결방안은 부족한 실정임.

- 불완전하거나 고비용 체계
- 효과와 안전성이 미흡한 시술방법 등

➡ 이를 근원적으로 해소시킬 수 있는 보다 안전하고 효과적인 방법을 연구 모색 중, 日本의 의사였던 故 하시모토(橋本敬三)博士가 창안하고, 네모토 료이찌(根本郎一)先生이 확립한 연동조체법(連動操体法)을 저자로 부터 직접 전수받고, 이를 바탕으로 보다 완전한 치유가 될 수 있도록 해부 생리학과 한의학적 근거에 의한 새로운 기술을 보완 연구하고, 기공 치료체조인 양생체조(養生體操)와 접목하여 이를 새롭게 체계화하여 요가기공 연동요법을 완성.

2. 본론

(1) 치료와 치유의 차이

① 치료(治療, Treatment, Therapy) : 병을 다스려 고치는 것(외부적 작용).

② 치유(治癒, Healing) : 병을 다스려 스스로 나아지는 것(내부적으로 낫는 것). 식이요법이나 운동으로 건강이 좋아진 것이나, 마음의 병은 치유가 더 타당함.

(2) 연동요법이란?

인체의 각 근육은 서로 연관되어 움직이므로 **스스로의 동작과 자세, 호흡**을 통하여 연결된 근육들의 움직임으로 MSD와 관련되는 **척추와 근육의 균형**을 조정하는 **자연치유 운동요법**.

참고 [MSD(Musculoskeletal Disorders : 근골격계 질환)]

근골격계 부담 작업으로 인하여 목과 허리, 상 하지의 신경, 근육 및 그 주변 신체 조직 등에 나타나는 질환으로 사고나 내장질환, 냉·난방에 의한 급격한 온도변화, 특정자세의 지속, 영양의 불균형, 정신적인 충격 등이 원인이며 이로 인한 증상은 고통(때로는 안피로, 두통), 압통, 무감각, 저림, 마비, 얼얼한 느낌, 화끈거림, 냉감 등이 있음.

(3) 연동요법의 특징

약물이나 특별한 운동기구를 사용하지 않고, 스스로의 힘으로 움직이고, 이상이 있는 근육은 사용하지 않기 때문에 **불쾌감이 없고, 부작용이 없으며**, 안전함.

특 · 장점은 연동의 효과로 근육이 서로 연관되어 움직이면서 **척추와 근육의 전체적인 균형을 조정**하는 것이므로 그 **효과가 광범위 하면서도 신속**하여 즉석에서 확인 가능하며, 근력을 강화 시키는 연동기공과 병행하므로 **근원적인 치료**가 가능함. 아울러 동작분석과 기본적인 연동요법 자세만 숙지하면 누구나 쉽게 배울 수 있음.

(4) 연동요법의 방법

연동요법은 타인의 힘에 의한 조작이 아니라 환자 자신의 움직임에 의한 것이므로 환자가 잘 움직여주는 것이 성패의 열쇠가 됨.

▶▶▶ 환자를 잘 움직이게 하는 3가지 방법

① 효과적인 동작을 위한 유도어의 사용
② 정확한 저항의 사용(방향, 강도)
③ 적절한 탈력(힘을 뺌)

참고 [근방추반사]

근육이 긴장하면 지각신경의 말단부분이 먼저 자극을 받고 이에 대하여 기계적으로 일어나는 신체의 국소적인 반응을 말함. 이는 근육이 지나치게 늘어나는 것을 예방하여 근육의 긴장성 조절, 자세조절, 신체의 평형조절에 중요한 역할을 함.

(5) 연동요법의 적용

근골격계질환(MSD) 특히, 운동기계통의 이상에 가장 효과가 큼. 운동기계통의 이상이란 지지조직으로서의 골격 자체에 이상이 있는 경우를 제외한 척추와 근육, 신경계의 불균형으로 관절을 움직이는 근육의 이상이라고 할 수 있음. 따라서 허리와 가슴, 목과 어깨, 등의 이상이나 아픈 동작(정지도 동작의 하나임)에 관여하는 근육의 긴장, 압박에 의한 기능부전을 일으킬 때 행함.

(6) 동작분석(동작진단)

신체는 전신이 연관성을 갖고 동작을 하기 때문에 어딘가에서 어딘가로 연동하여, 동작제한이 일어나기도 하고, 해제되기도 하는 경우가 있음.
또 특히, 어딘가에 이상이 있으면 어느 곳의 움직임에 제한이 일어나는 미묘한 관계가 있음. 몇 가지 예를 봄.

① **다리의 길이차이, 발의 각도, 무릎의 접어지는 정도를 확인**

② **목과 상체를 좌우로 돌려본다.**

목과 허리의 상태가 나쁘고, 복부의 긴장이 있거나, 내퇴부의 근육에 긴장이 있으면, 이 동작에서 좌우 불균형이 됨. 이때는 악력, 완력, 배근력, 복근력 등도 저하하고, 전신적인 부조화를 오게 함.

③ **손가락의 열림(Finger Scale로 진단)**

허리가 아플 때, 목과 어깨의 장애를 수반하는 경우가 있음. 자세가 나쁠 때에는 다섯 손가락의 열리는 각도(계지각 : Finger Scale로 진단)가 저하됨. 다섯 손가락을 펴서 엄지손가락부터 새끼손가락까지의 각도가 개인차는 있겠지만, 일반적으로 130도에서 150도 정도가 보통이며, 이 각도에서 저하했던 것이 회복되었다면 몸의 나쁜 상태가 해소되었다는 것으로 판단함.

인체는 전신이 연관성을 가지고 있으므로 발가락으로부터 허리, 목 부위까지 연동되고 경추 신경의 지배를 받는 손가락의 동작에 까지 영향을 미침. 경추부에는 만지지 않고 허리부터 조정만 해도 발가락의 움직임부터 연동하여 계지각이 커짐.

④ 특정부위의 압통 유무의 확인 등

주의!

연동요법은 스스로 행하는 운동요법인 관계로 다른 어떤 치료법 보다 매우 안전하지만, 다음의 경우는 가급적 금지함.

- 심한 골다공증 환자
- 심한 퇴행성 척추관절증
- 확산성 염증질환
- 골절 후 인체 내 이물질(핀, 플레이트, 와이어 등)을 고정하여 극심한 통증이 있는 환자
- 급성기의 외적, 내적 손상 시
- 움직임이 불편한 고령자나 임산부, 전신쇠약증 환자
- 관절변형이 극심하여 의학적인치료를 필요로 하는 경우

3. 결론

▶▶▶ 대체 보완 의료 시 고려할 점

- 첫째! 안전성
- 둘째! 효과성
- 셋째! 경제성과 활용성

연동요법은 다른 요법과 달리 손이나 기구로 무리하게 치거나, 비틀지 않는 가장 안전한 보존적인 방법임.

스스로의 움직임을 통하여 원격(遠隔)부의 각 부분을 연동(連動)시킴으로써 종래의 운동학의 상식으로는 예상도 하지 않았던 부분까지 효과를 볼 수 있음.
또한 동작과 자세, 호흡과 수련은 요가(Yoga) 및 기공(气功)과 같은 요소를 포함하고 있지만, 다른 요법이 미치지 않는 곳 까지 조정 할 수 있다는 장점이 있어 허리와 가슴, 목과 어깨 등의 통증을 보다 신속히 해소시켜 줄 것임.

특별한 기구 없이 교육을 통해 쉽게 숙달이 가능하고, 법적인 제한 없이 누구나 행할 수 있는 자연치유 운동요법임.

➡ 누구나 배우고, 활용하면, 가족과 지역사회 주민의 건강과 삶의 질 향상에 기여할 것임.

부 록 II

[연동치유 관리순서]

연동요법 치유 관리순서(기본형)

1. 안녕하세요? 어디가 불편하세요? Where does it hurt?

2. **개인별 맞춤교육 관리일지**에 해당사항을 기록해 주세요!
   Please write your information.

3. 기록 내용 중 몇 가지 확인해 보겠습니다.(의문사항 문진 및 기록)
   Let me check several questions.

4. 티슈 깔며, 『주머니의 부피 큰 소지품은 (바구니에) 꺼내 두시고, 양말 벗고 침대에 위쪽(천정쪽)을 보고 누우세요(신발정돈) Lie(lay) down please.

5. **알콜로 손 소독** 후 발목을 잡으며 『허리를 2번 들었다 놓으세요.』 lift up your waist(hip) please.

6. 다리를 당기면서 흔들어 릴렉스 시킨 후 엄지손 부위로 **다리 길이를 비교**한다.

7. 『엄지발 끝을 쭉- 당겨 올려 보세요.』 (중지로 **엄지발가락 힘 체크 후**, 손소독) The big(great) toe pull up please.

8. 『엎드려 이마를(혹은 턱을 바닥에) 대고 양손은 침대를 잡으세요.』
   turn over

9. 『허리를 2번 들었다 놓으세요.』 (바지의 중심선을 잡아 놓고, 체크사항 기록)

10. 바지 걷어 발목잡고 당기면서 흔들어 릴렉스시키고, 슬개골 좌, 우를 넣는다.

11. 발목잡고 **길이 확인**, 90도 로 세워 **발뒤꿈치의 높이**, 다시 완전히 접어(꺽어) **발뒤꿈치 각도확인**.

12. 『의자에 허리를 세우고 앉아 보세요.』(앞의 체크사항 기록)
Have a seat. or sit down please.

13. 『**경추의 관절 가동력(ROM)**을 확인을 위해 보겠습니다. 목만 좌로 쭉- 돌려보세요, 우로 돌려 보세요, 더 편한 쪽을 말씀하세요.』(참고로 편한 쪽 알려줌)
May I have ckeck up ROM?, turn away your head please.

14. 『**핑거 게이지(계지각)**를 체크해 보겠습니다.』(측정한 것 기록)

15. 『의자의 끝에 앉아 주세요! 허벅지 안쪽(내전근), 위쪽(대퇴직근), 오금(위중혈)의 **근육상태를 눌러서 확인** 하는데, 허벅지 안쪽을 직접 눌러보세요, 어느 쪽이 아프세요? 제가 직접 확인해 봐도 되겠습니까?』(4-1, 4-2, 7-1확인) ~back side of your knee and leg.

16. 좌우 스트레칭으로 몸을 풀고, (사전 **7-1번** 슬와부 후면 확인) 앉은 자세에서 다리는 어깨넓이 정도 간격을 유지하여, 더 통증이 있는 다리 80도, 반대쪽다리 90도 정도를 유지하며 양손은 다리(대퇴부)에 얹고 허리를 아픈 오금 방향으로 최대한 비틀게 하며, 저항을 주고는 **『하나, 둘, 셋 움직이지 마시고, 후~, 다시 한 번 숨을 쭉~ 들이쉬고 후~, 바로하세요』** 무릎이 앞, 뒤로 최대한 움직이게 하여야 한다.(동작 전에 사전 좌우 한 두 번씩 몸통을 돌리는 연습으로 사전에 스트레칭을 시켜야 근육경련(쥐) 나지 않는다) Please twists your body and hip to the left(right)

17. 좌우 스트레칭으로 몸을 풀고『의자, 또는 침대에 아프다고 했던 쪽 다리를 절반 접어(구부려) 올리고**(4-1)**엄지 발가락을 무릎 바깥쪽으로 쭉~ 당겨 올리며, 동시에 양손으로 팔꿈치 잡고 올린다리 반대쪽으로 상체를 비틀면서 **『하나, 둘, 셋, 움직이지 마시고, 후~ 하고 숨 내쉬고, 다시 한 번, 숨을 쭉~ 들이쉬고 후~, (발가락 저항). 바로하세요.』**

18. 다시 한 번 몸을 풀고, 의자에 다리 지정해 구부려 올리게 하고(4-2) 발가락 끝을 아래로 밟아 내리며(저굴) 동시에 양 팔꿈치 잡고 밟아 내리는 다리 쪽으로 상체를 비틀며 **『하나, 둘, 셋, 움직이지 마시고, 후~, 다시 한 번 숨을 쭉~ 들이 쉬고 후~, 바로하세요.』**(저항 전 손 소독, 발가락에 적절한 저항을 가해 쥐가 나지 않도록 주의)

19. 몸 풀고, 침상에 티슈 깔며, **『위를(천정)보고 누워 양손 바르게 놓고, 다리를 접어 무릎을 세우세요. 발뒤꿈치를 들으세요, 좌우로 무릎을 넘길 때, 어느 쪽이 편한지 알려주세요. 좌측으로 넘겨보세요, 바로, 우측으로 넘겨보세요, 바로. 어느 쪽이 편하세요?』**(시술자는 침대중앙에서 확인)

20. 시술자는 침대의 편한 쪽 공간을 확보 후 앉아 피시술자가 편한 쪽으로 무릎을 최대한 누르도록 하며, 이때 시술자는 자신의 무릎에 손을 받쳐 (9-1번, 손으로 가벼운 저항을 준다) **『하나, 둘, 셋, 움직이지 마시고, 후~, 바로! 다시 한 번 쭉 누르세요. 하나, 둘, 셋, 후~, 바로.』**(한손은 발뒤꿈치를 잡고 저항을 준다)

21. **(무릎 굽혀 상하, 좌우운동)**무릎을 굽혀 가슴 쪽으로 당기며 하나, 둘, 셋, 넷~ 여덟. 무릎을 좌, 우로 흔들며 앞과 같이 구령 후 무릎 붙이고 세워 좌, 우로 넘기며 연동 2회씩 실시. Let me show you how to do!, See the motion.

22. **(붕어운동)**무릎 굽혀 상하로 흔들어 몸 풀기 후, 고개 들어 배꼽 보며 무릎을 구부린 상태서 양발을 손으로 잡고 하나, 둘, 셋, 움직이지 마시고, 후~, 다시 한 번 숨을 쭉~들이 쉬고 후~. 만세하며, 다리를 쫙~ 펴세요. 필요시 발 저굴, 배굴 후 바로!(손 소독) Please spreads the arm and the leg. breathe out your breath.

23. 누운 상태서 귀 뒤쪽 경추 1, 2번 지점(풍지혈) 확인하여 아픈 쪽으로 고개 최대한 돌리게 한 후 돌린 쪽 피시술자 손으로 이마 잡고 목 돌리기 운동 8회 후, 최대한 돌린 상태서 상, 하 숙이고 젖히는 운동 8회, 바로! 반복.(풍지를 3,4지 손가락으로 지지.) This is motion.

24. **(경추등배 좌우연동)**혹은, 그대로 일어나 양반자세로 앉으시고, 한손을 경추 1,2번 지점(풍지)에 대고 고개 앞, 뒤로 숙이고 젖히는 운동 8회, 좌, 우로 젖히는 운동 8회, 반복.(피시술자의 등을 받쳐준다.)

25. 등보이게 90도 돌아앉으시고 어깨를 올렸다 내렸다(거상, 하제) 8회 정도 시킨다. 다시 한 번 더 어깨 상, 하 운동 시키며 시술자 엄지손으로 능형근, 견갑거근 근육을 잡아 준다.

26. 티슈를 깔고, 침대에 엎드리게 한 후 허리 2회 들었다 놓을 때 재봉선 중심 맞춘 후 양손으로 발을 잡아당기고, 슬개골을 넣고, 양손으로 발목을 잡아당기며 발뒤꿈치 길이 확인, 90도 세워서 발뒤꿈치 높이확인, 완전히 접어 발뒤꿈치 확인, **정확히 맞은 것을 확인시킨다.**

27. 위쪽(천정)보고 눕게 한 후 허리 두 번 들었다 놓고, 발목잡고 당기면서 릴렉스 시킨 후 엄지손으로 다리길이 확인, 발가락을 최대한 위로 당겨 보세요. (중지로 체크 후 **힘이 돌아 온 것을 확인**시킨다. 손 소독 실시)

28. 의자에 내려와 앉으시고 **경추의 관절 가동력(ROM) 확인** 해 보겠습니다. 목을 좌측으로 최대한 돌려 보세요. 반대로 돌려 보세요. 어떻습니까? 처음보다 잘 돌아가는 것을 느끼시지요?

29. 다음은 핑거 **게이지 확인**해 보겠습니다. 아까보다 각도가 커진 것을 아시겠지요? 이는 골반과 척추가 바르게 되었다는 것을 의미하고, 척추가 바르게 되면 척수에서부터 우리 몸의 주요 기관들과 연결되어 있는 신경이 정상적인 기능을 발휘 할 수 있어 전반적인 인체 기능이 향상 됩니다. 수고하셨습니다.(운동처방으로 해당 연동기공체조 교육 후 다음 일정을 약속) 끝.

●순환기능 향상을 위한 연동기공체조 순서

1. 가슴, 복부 마사지

2. 발목 내외전 및 굴신운동

3. 무릎굽혀 상하로 흔들기 100, 좌우로 흔들기 100
   좌우연동 스트레칭 2회, 다시 상하 흔들기 8회

4. 새우운동 만세

5. 붕어운동 50

6. 팔다리 들고 흔들기100 후 손발뼉100

7. 경추등배 좌우연동 80~200이상

●요통예방 및 ADL(activity of daily live)필요시 근력향상 운동처방(기본)-연동요법 제4장 참조

1. 윗몸일으키기 50

2. 다리들고 단전치기 120

3. 허리들기 8호간 4회반복 * 4

4. 허리와 어깨들기

5. 경추1번 운동

6. 상체늘리기 / 척추신전

7. 허리운동(고양이등 / 말등)

8. 대퇴부 근력 향상 운동

* 일상생활에서의 기마자세 유지
ex) 양치질, 설거지, 집안에서 이동 등

●과학마사지 중요 포인트

손등1골간(합곡)-노신경(요골신경)

발등1골간(태충)-깊은종아리신경(심비골신경)

마루(백회)-뇌신경의 머리신경

눈썹머리(찬죽)-도르레위신경, 눈확위신경

코옆(영향)-얼굴신경, 삼차신경

턱밑(염천)-삼차신경, 얼굴신경, 혀인두신경, 미주신경, 혀밑신경, 가로목신경
-->중추신경 및 내장반사작용에 영향

심장(전중)-T1~5번 양쪽 신경 앞가지 지배

위(중완)-T7번(T6~9번 포함)신경 앞가지, 교감신경과 부교감신경 이중지배

배꼽옆(천추)-T10~11번 신경 피부분절

소장(관원)-T12번 신경

자궁(중극)-L1번(T9~L3번 포함)신경

발 : 발 반사구- 위, 췌장, 십이지장
하지 : 전경골근, 비복근, 넙치근, 대퇴(직, 내외측광근)부
상지 : 상완 이두근, 상완삼두근
등 : 견갑골 주위

참고문헌

1. 臨床家를 위한 運動操體法(根本良一 : 日本 Tokyo) / 요동연구소, 2005
2. 스포츠 치료 마사지 요법 / 도서출판 금광, 2002
3. 부인병 노인병 소아병에 대한 경혈치료법 / 도서출판 골드, 2003
4. 피부미용을 위한 성형경락 / 도서출판 골드, 2005
5. 하루 10분 봉 운동으로 척추건강과 얼굴성형 만들기 / 도서출판 골드, 2005
6. 경락에 의한 성형미용 / 도서출판 골드, 2004
7. 양생체조의 효과 / 대구 한의대학교 석사 학위 논문, 2001
8. 발반사 건강법 / 도서출판 진리탐구, 1998
9. 발건강 마사지 가이드 / 도서출판 금광, 2002
10. 수험생 동의보감 / 도서출판 정담, 1997
11. 안남훈 : 미용경락 / 도서출판 뷰티비전, 2002
12. 척추건강체조 / 삼호미디어, 2000
13. 지압,스트레칭 / 전원문화사, 1994
14. 인체해부 생리학 / 도서출판 정담, 2004
15. 건강한 삶을 위한 운동법 / 도서출판 정담, 1997
16. 전국 한의과 대학 재활의학과학 교실편 : 동의 재활의학 과학 도인기공요법 / 서원당, 1995
17. 스포츠 마사지 / 도서출판 유림, 1995
18. 위생태권도 / 공학사, 1998
19. 리메디얼 마사지 테크닉 / 도서출판 예림, 2004
20. Shiatsu / 도서출판 푸른 의학, 1999

著 者 略 歷

손병국(보건학 박사)

New York Pace University Public health 과정 수료
대구한의대 보건대학원 석사
대구한의대 보건학 박사
보건 교육사(보건복지부)
국제 한의사(ICCAOM). 피부미용사(산업인력관리공단)
연동요법사(일본, 요동연구소), 자연치유사(세계자연치유협회)
대구한의대학교 사회교육원 대체의학최고지도자과정 주임교수
동국대학교 생명공학과 외래교수
American Mediscience University 부총장

(현) 성민대학교 대학원 보건 대체의학 전공 주임교수
국제보건연동협회 회장
보건교육사회 사무총장
국제통합 대체의학협회 부회장
척추연동센타 닥터 손 총괄원장

자연치유를 위한 요가기공
연 동 요 법(連動療法)

발 행 일 | 2007년 2월 1일 초판 발행

저 자 | 손병국
발 행 인 | 박승합
발 행 처 | 도서출판 골드
등 록 | 제3-163호(1988.1.21)
주 소 | 서울시 용산구 갈월동 11-50
전 화 | 02-754-1867
팩 스 | 02-753-1867
홈페이지 | http://gold.hompee.com

정가 19,000원
ISBN 978-89-8458-163-0-03510